手工美劳适用教材

吉祥组合结

中国结艺

东艺 编著

西泠印社

图书在版编目(CIP)数据

吉祥组合结/东艺编著. —杭州: 西泠印社, 2000. 8 (中国结艺)

ISBN 7-80517-458-X

Ⅰ.吉… Ⅱ.东… Ⅲ.编织－工艺美术－技法(美术) Ⅳ. J523.4

中国版本图书馆 CIP 数据核字 (2000) 第 45734 号

序

“结”在我国，象征力量、和谐，充满温暖的人际关系。例如讲究集体力量的“团结”，表现少女情怀的“心有千千结”，甜密温暖的“结发夫妻”和山盟海誓的“永结同心”。“结”一直是人类社会生活里，不可缺少的抽象元素。

“中华结”具有优美的造型，丰富的色彩，它是中华民族的宝贵文化资产，从某种意义上说它体现了中华民族的精神内涵。将“中华结艺”这份宝贵的民族文化发扬光大，使之为人们的生活增添一份温馨，领受一份祝福，同时在手工劳作之中体会一种喜悦，正是本套丛书的目的。

结艺的制作方法，分为钉板与徒手，初学者在入门时，通常根据所接触的第一种方式进入结艺的门槛。不论钉板或徒手各有其优点，在初学时应择其一，待一段时日之后若能二者兼得势必能得心应手。

学习中国结除了勤加练习，多欣赏好的作品之外，不外乎更多的艺术涵养，才能通过自己的修炼应验在作品上。希望读者能够从本套丛书中得到艺术智慧与启发，进而将结艺水准提升到更完美的境界。

西泠印社出版发行

杭州东坡路 90 号 (邮政编码 310006)

责任编辑: 朱春秧 封面设计: 东艺

全国新华书店经销 杭州富阳美术印刷有限公司印刷

开本: 850x1168 1/32 印张: 2.5

2000 年 9 月第 1 版 第 1 次印刷

印数: 00 001-5 000

ISBN 7-80517-458-X/J·459

(全套六本) 单价: 12.80 元

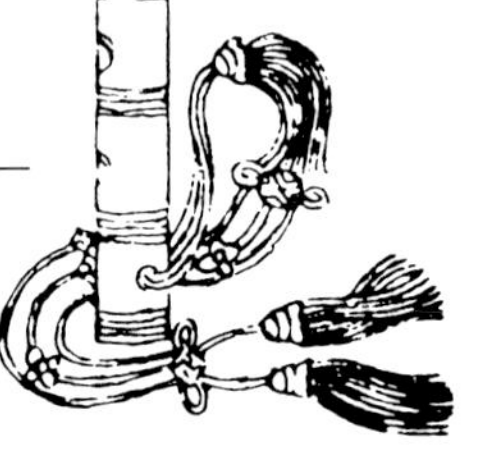

目　录

基本结练习时，用线须多少，也颇费思量，太短了不够编一个结，太长了又碍手碍脚，因此为了读者方便起见，作法说明时均说明需线多长，线的粗细以中等粗细的线来编，较有利于读者练习。若用较粗较细的线，则长度可自行增减，但宁可多剪不可少剪。

编结算是一种技艺，故须多练习几次直到熟练为止，然后再做下一个。反复练习一种结时，可只用一线来编，编好再拆掉重编，因为拆也是一种练习，有助于对线路走向的了解，一直练习到自己认为熟练了，则可试着不用工具徒手来编。每个基本结都确实会编了，其他组合结、应用结便可驾轻就熟，且其花样多彩多姿任读者自行变化，至这种程度，则可尝到创作的快感。

初学者刚开始编时，常会被那些复杂的线路弄得眼花撩乱，头绪不清，所以在编的时候，需先以轻松平和的心境为要件，并得借助于工具。刚开始先用珠针将线固定在保丽龙板上，并用发夹带着线头来穿编，按着图解的步骤依样画葫芦即可。

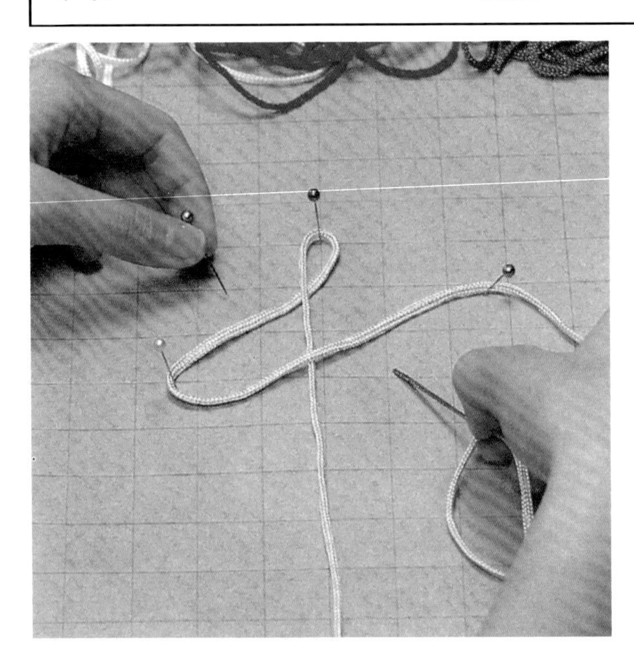

①为了帮助编结起见，可用珠针固定线路，用珠针辅助又有两种方法：一种是边编边插；另一种是将预先要用的珠针预先插下去（如下图的团锦有六个内耳翼，五个外耳翼，可先插上十一个珠针）。二种各见优劣，预先插好可帮助定位，但许多珠针容易纠缠不清。

② 图②为将团锦编完的情形，编完后还不能看出其结形之美，因为它只是松散的结构，只见团锦的雏形，而看不出结形的构造，所以编到这里，就可以将珠针拿掉，接着是抽的步骤了。

图示为使用工具编团锦的方法。

③ 如果编得很熟练以后，就可以不用工具，而能编出一个个美丽的结子，如果你想试试自己手有多巧，可尝试着徒手编结。图示为徒手编团锦的情形，徒手编结一般都是用单头编法，徒手编结较省时省力，但如无相当编结经验，很容易出错。

④ 徒手编结虽说不必使用工具，然而可用一根普通的发夹来"引线"，因为线是软的，它有时要穿梭来去，甚为不便。因此用发夹来辅助，则更方便。

图示为徒手编结完成的情形。

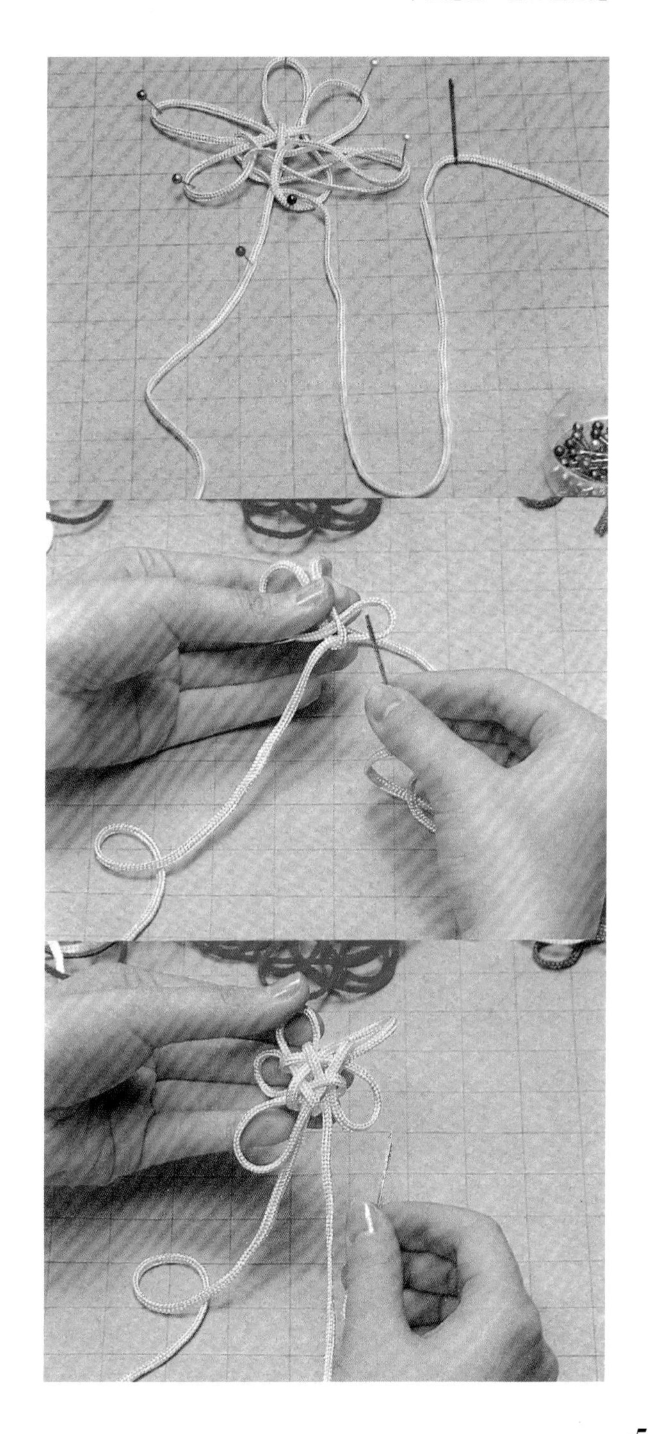

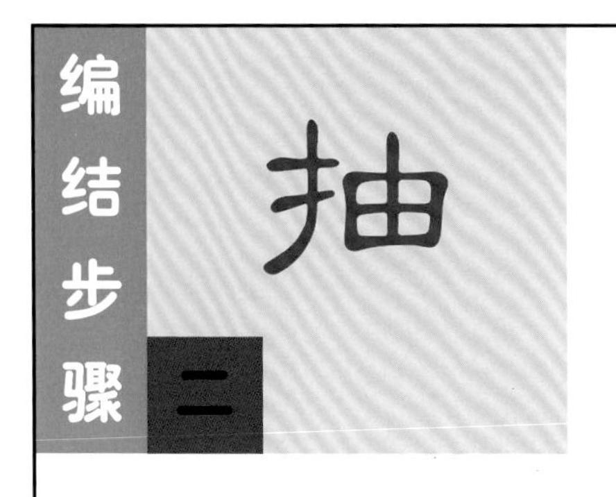

一个结编好后，只是个松散的结构，看不出其结形之美丑，故需将其抽紧，才可显出结形之美。故抽是中国结最具特色的步骤，它往往比编更费时费事，因为编只要按图索骥，人人皆可编出，但抽得好不好，可决定结形的美观与否，且有些结须抽得紧一点，有些则须抽得松才能显出其美感（例如双钱结即是）。如果经验不够，在抽时往往会抽得不够理想，故抽时有几点要注意：

1. 先抓耳翼，使结心抽紧，耳翼的形状大小不一并无所谓。等结心的形状抽得完美了，且其松紧合宜后，再来调整耳翼的大小。

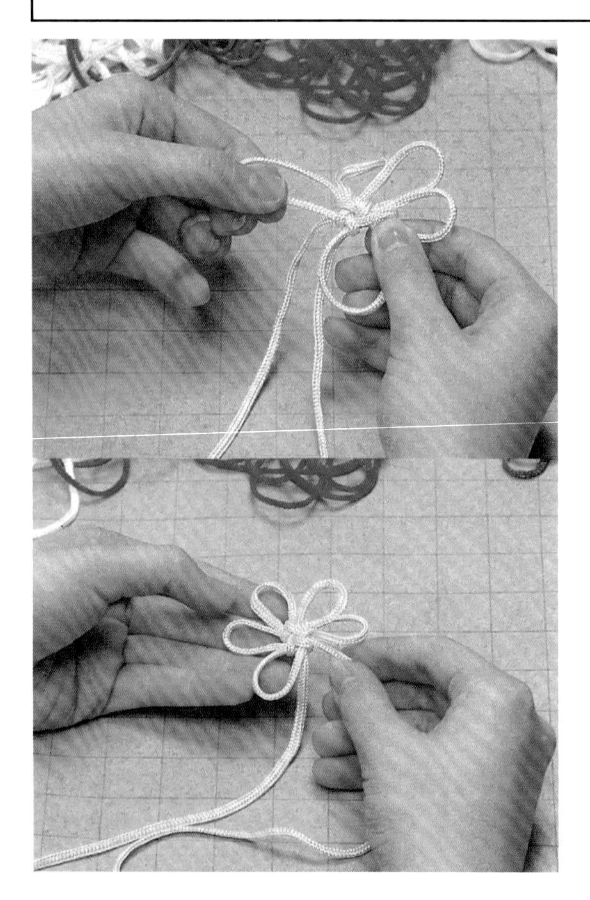

2. 抽的时候，还要一边注意线路有无扭转，如果线路扭转，一定要调整到平整。扁形的线扭转了，固然不好看，就是圆形的扭转了，也会使耳翼缩转，破坏其美感。

3. 刚开始抽时，由于不太了解一个结的构造，常会发生抽错头的现象，抽了半天又回到原来的样子，但多练习几次以后，不用花太多心思就知道该抽那头才对，那时就不会抽错了，同时也可节省很多时间。

结子做好以后，为了使结形更为坚固，美观，常须做修饰的功夫，以保持其尽善尽美的结形。常用的修饰法有四种：①藏线头。②做穗子。③镶珠子。④绕玉环。⑤暗缝等。

藏线头：

线头如要藏得天衣无缝，无迹可寻，最好的办法，是打个钮扣结、盘长结或团锦结。其作法如下：

①钮扣结的线尾可直接剪掉。

②盘长结像个小口袋，用发夹将一条线头穿过这个小口袋，然后才剪掉。

③团锦结用线头绕结心。

做穗子：

线头如果正好在结子的下端，要作成一条穗子，要先打简单的结以为收束，又分双线、单线。

①如果是单线，可打八字结作结束

②如果是双线可打钮扣结、双联、平方、藻井作结束

制穗子的方法：

①如果线是属于绞绳或瓣绳，可直接将线解开松散作成穗子即可。

②先作一个钮扣结，然后在结中再藏些线段即成。

③包线法：在毛线四周安置若干线段，然后再用另一线捆绑，打成死结即成。

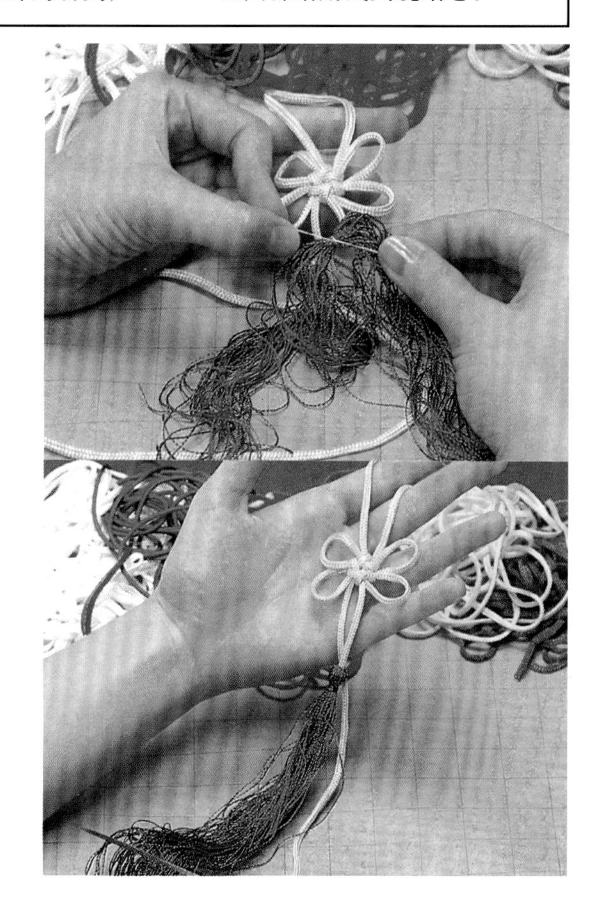

暗缝:

除了少数结形牢固的结子，例如像盘长、长盘长、磬结等，结构较为密实外，其它结子的结构都不甚坚牢，做好后过不了多久就松动了，它的结形也因而变形，因此其实用性就相对减低了。

虽说结子是个小饰品，然而它却精巧无比，一个较为复杂的结饰，要花上一番心血来编织。为了使它保持长久而结形不变，就要在做好后，马上在其较容易松动处用线缝牢，如此结子不但不会变形且可保持较为长久。如果是用来做项链的装饰，也较能负荷坠子的重量。

镶珠子：结子做好后，可在其空隙处缝上珠子做装饰，当然所镶的珠子要和结子的形状、颜色相互配合，视结子的需要而镶上大小适中、颜色调和的珠子，如此才有绿叶衬红花之效。其方法有：①分开镶。②连着镶等二种方法。

绕玉环：从古典服饰中，常见到玉环钩上线，环内再缀上凤、龙、鹤等吉祥图案，以作为腰间的装饰，甚或在一般民间的彩坠中亦可见到。这种装饰品给人感觉很华贵、美丽。

佩玉是常见的一种装饰，玉环可能也是佩玉的一种，在出土的文物中可看出。前面源流考的图片中，介绍的唐代乐妓，即有佩玉环的，后来可能觉得单是一个玉环太单调，因此又绕上线，中间再做个结子为点缀，使它更为丰富美好。

绕玉环的方式很多，有很复杂的，但也有简单的，为了读者方便起见，只介绍一种最普遍且简单的方法，并画图解配合图片说明。先用细线在玉环上绑个圈以固定线路，然后按图将线从线头到A1、A2，B1、B2、C1、C2依次穿过，将整个玉环绕完即可。

A1 B1 C1 A2 B2 C2 细线

参考鉴赏

避邪铃

■ 材料

1. 4号线　3尺x3条（3色）
   30m/m木珠1颗
2. 5号线　2尺x3条
3. 6号线　2尺x3条
4. 玉线A　1.5尺x3条

王结（三宝八套）＋金刚结

2 来回盘长耳翼绕线

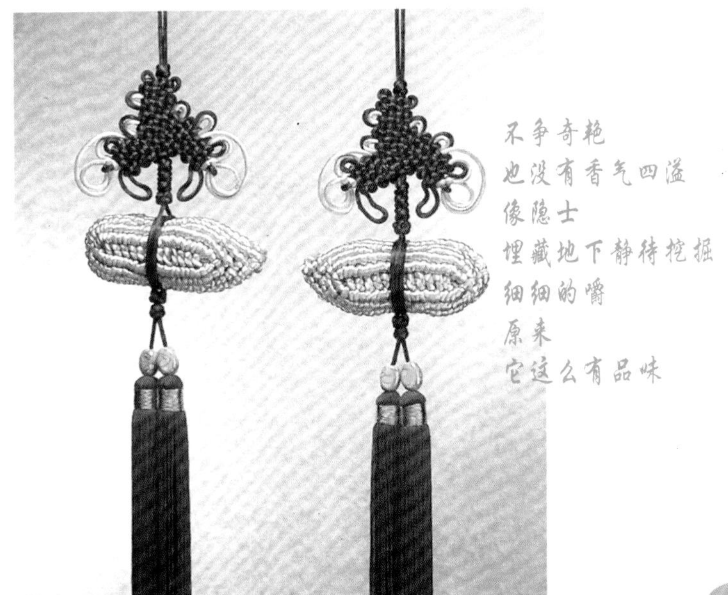

不争奇艳
也没有香气四溢
像隐士
埋藏地下静待挖掘
细细的嚼
原来
它这么有品味

三角变体盘长，
耳翼套色变化

右上：三角磬结之变化加套色
下：2宝结
左：上同右上
下：攀缘结

■ 材料

1. 6号线　2尺x32条（一只）
2. 5号线　3尺x32条（一只）
3. 4号线　4尺x32条（一只）

平安鞋

④ 2 来回盘
长耳翼加结
② 3 宝结
耳翼套色
③ 2 宝结
耳翼套色
① 2 来回盘
长耳翼变化

结编：金刚结（见63页）

结编：绕线法（见62页）、套箍

结编：八股变化（见59页）、套箍（见60页）

结编：金刚结（见63页）

结编：套箍（见60页）、平结（见61页活动用），尾端8字结（见62页）

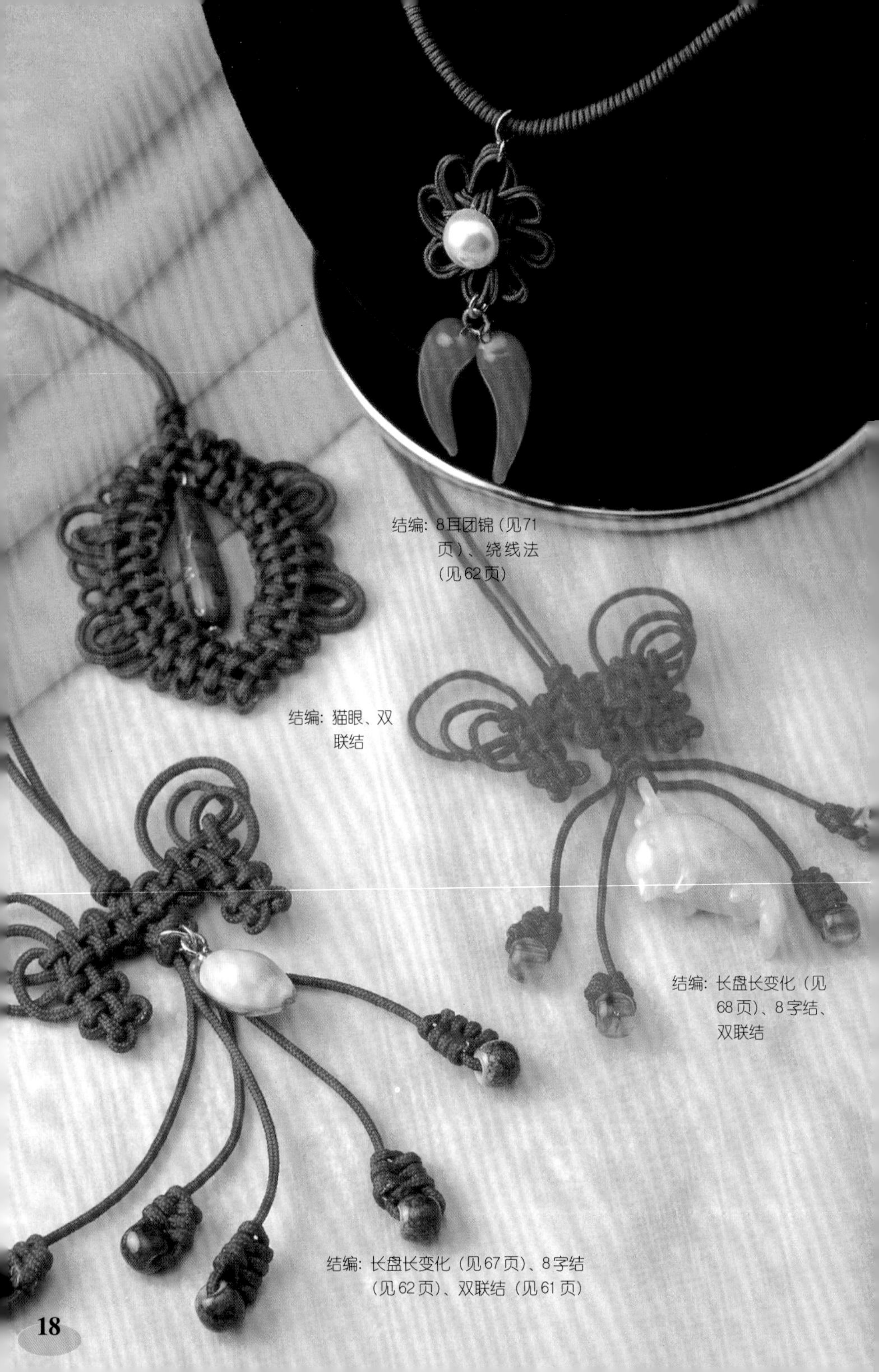

结编：8耳团锦（见71页）、绕线法（见62页）

结编：猫眼、双联结

结编：长盘长变化（见68页）、8字结、双联结

结编：长盘长变化（见67页）、8字结（见62页）、双联结（见61页）

结编：向日葵结、平结

结编：盘长结（见66页）、金刚结
+猫梆（秘鲁）结

结编：斜卷结、8字结(见62页)、平结

结编：十字菱、平结（见61页)、绕线(见62页)

结编：盘长变化（见67页)、团绵结（见70页)

结编：斜卷结、平结、纽扣结(见58页)

结编：团锦变化（见71页）、套箍（见60页）、流苏

结编：盘长结（见66页）、磁箍、四股编、绕线（见62页）

结编：3耳酢酱草结（见65页）、双联（见61页）

结编：8股变化（见59页）、套箍（见60页）

结编：8股变化、套箍

结编：磬结变化（见73页）

结编：吉祥结

结编：盘长变化（见67页）

结编：8耳团锦（见71页）

结编：吉祥结

结编：吉祥结

结编：十字结

结编：十字、8股变化（见59页）、钮扣结（见58页）

结编：十字结、平结（见61页伸缩用）、8字结（见62页）

结编：金刚结（见63页）
钮扣结（见58页）

上：水滴型 · 内为10耳团锦
下：水滴型 · 内为8耳团锦

招财蛙
在我家
有钱勿夸

官靴（娃娃鞋）

■ 材料

1. 4号线　4.5尺x68条（一只）
2. 5号线　4尺x68条（一只）
3. 6号线　3尺x68条（一只）
3. 玉线A　2尺x68条（一只）

3来回盘长耳翼变化，上下对称福字·复翼盘长＋6耳团锦

斜卷结造型立体
大至龙小至虾米
可大可小没问题
最有价值在创意
（希望大家再创新，让中国结艺更发扬光大）

左：盘长耳翼变化上下对称
右：盘长耳翼加金上下对称

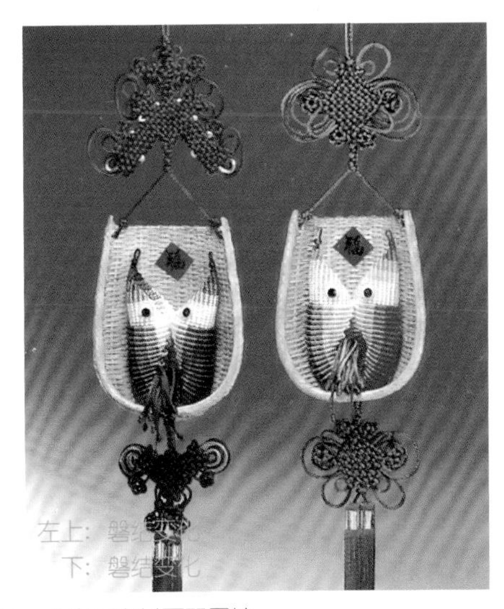

左上：5来回盘长耳翼团锦
右下：4来回盘长耳翼团锦

结编：串珠、线末端打、
8字结（见62页）

结编：盘长（见66页）

结编：向日葵编法（包往血珠）、八股变化（见59页）、套箍（见60页）

结编：盘长结、套箍、绕线（见62页）

结编：八股变化、套箍、单线钮扣（见58页）

结编：八股变化（见59页）、套箍（见60页）

结编：盘长结（见66页）
金刚结（见63页）

结编：八股变化（见59页）、套箍

结编：猫眼、盘长结变化（见67页）、套箍（见60页）

结编：十股变化、套箍
左上方－七星盘

结编：六股变化（穿珠成串后，辫子结）

结编：六股串成后，麻花编

结编：8股变化、套箍（见60页）

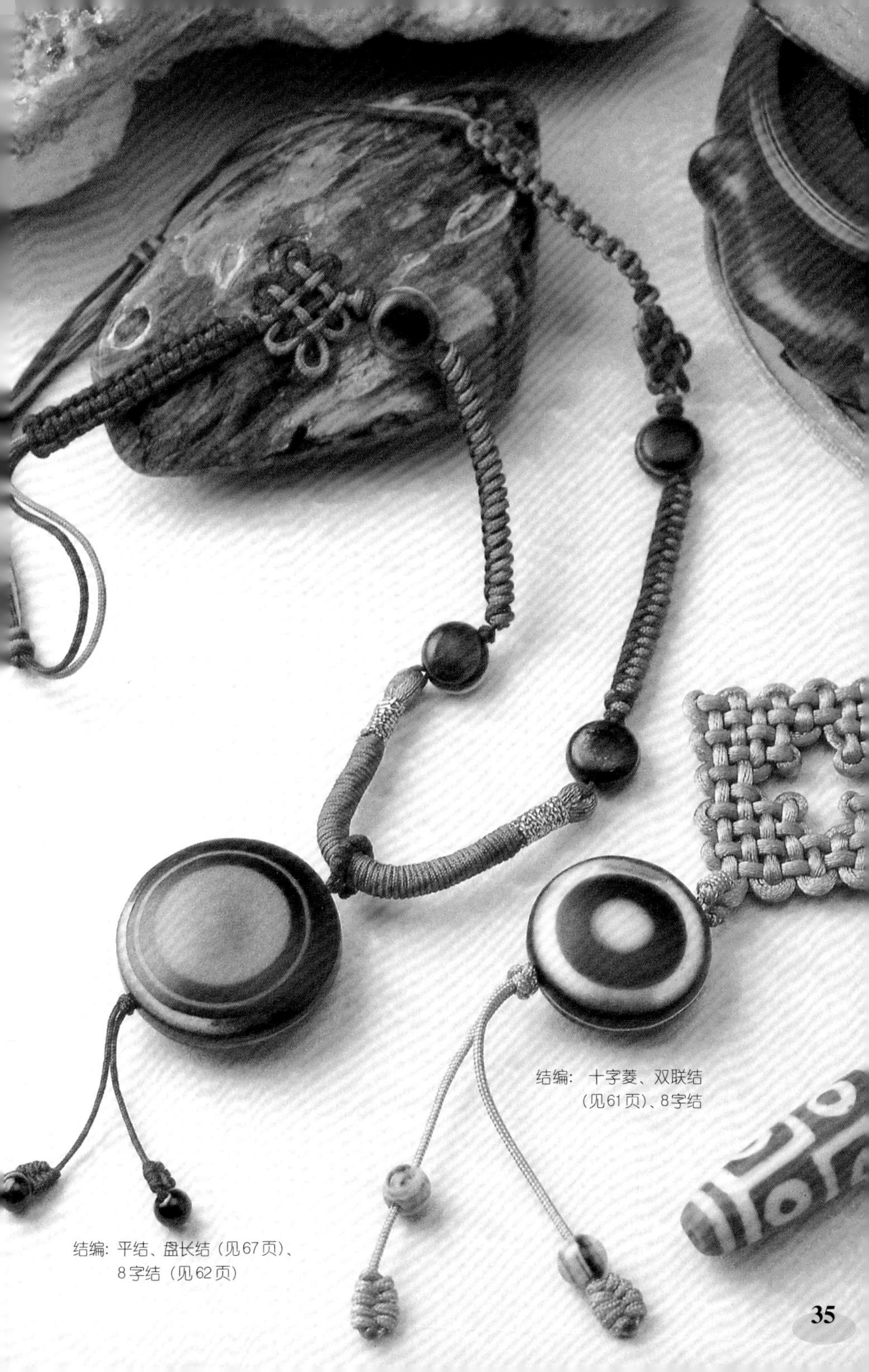

结编：十字菱、双联结（见61页）、8字结

结编：平结、盘长结（见67页）、8字结（见62页）

结编：金刚结（见63页）

结编：金刚结、猫柳结

结编：绕丝（见62页）、
套箍（见60页）

结编：8股变化（见59页）、套箍

结编：长盘长变化、四股变化、套箍（见60页）、8字结（见62页）、钮扣（见59页）、双联、绕线

结编：2×2盘长（见65页）、平结（见61页）

结编：3×3盘长结(见66页)、8字结(见62页)

结编：2×2盘长、平结

结编：高坠结（见72页）、套箍（见60页）、绕线（见62页）

结编：十字菱、8股编、套箍

结编：三角盘长蝶翼变化、8股编（见59页）、套箍、绕线

结编: 8耳团锦（见71页）、盘长耳翼变化（见67页）、套箍（见60页）、8股变化（见59页）、单线钮扣（见59页）、绕线（见62页）

结编: 8耳团绵、8股变化、套箍、绕线

结编: 盘长变化圆形、8股变化、套箍、绕线

结编：8股编＋硬式
8股变化、套
箍、绕线
结编：股数变化、单
线平结、套箍
（见60页）、钮
扣（见59页）、
绕线（见62页）
结编：8股变
化、套
箍、钮
扣、流苏

天霸王寿桃
再编上寿字结
送给老人家
添福又添寿

（古时候的人把香囊戴在身上或吊在室内，有装饰、芳香、祈求平安的寓意）

④盘长耳翼加结　③盘长耳翼套色　②盘长耳翼变化　①团锦耳翼变化

①盘长耳翼加结

② 2来回盘长耳翼变化

③同②

大蟹小蟹
都是谢
感谢
多谢

结编：双联（见61页）、磬结（见73页）、平结、创意（无名）结、钮扣（见59页）

结编：硬式8股变化、套箍
黄铁矿石（背景）

结编：六角盘长结、套箍（见60页）、8股编（见59页）、绕线（见162页）

结编：2×2盘长结（见66页）、绕线圈

结编：金刚结（见63页）

结编：8股编（见59页）、套箍（见60页）、8字结（见62页）

结编：盘长结、双联结（见61页）、蛇结（见63页）

结编：绕线法（见62页）、平结(伸缩用，见61页)

结编：8股变化(见59页)、套箍（见60页)、绕线

结编：蛇结（见63页)

结编：绕线（见62页）、套箍（见60页），平结（伸缩见61页）。流苏、一小段蚕丝线绕

结编：空心团锦（参考71页），套箍（见60页）、如意（参考65页）、8股编（见59页）、绕线（见62页）

结编：斜卷结、八耳团锦（头饰）、人鱼的小美人身体，全省手艺行有售。

海豚特技

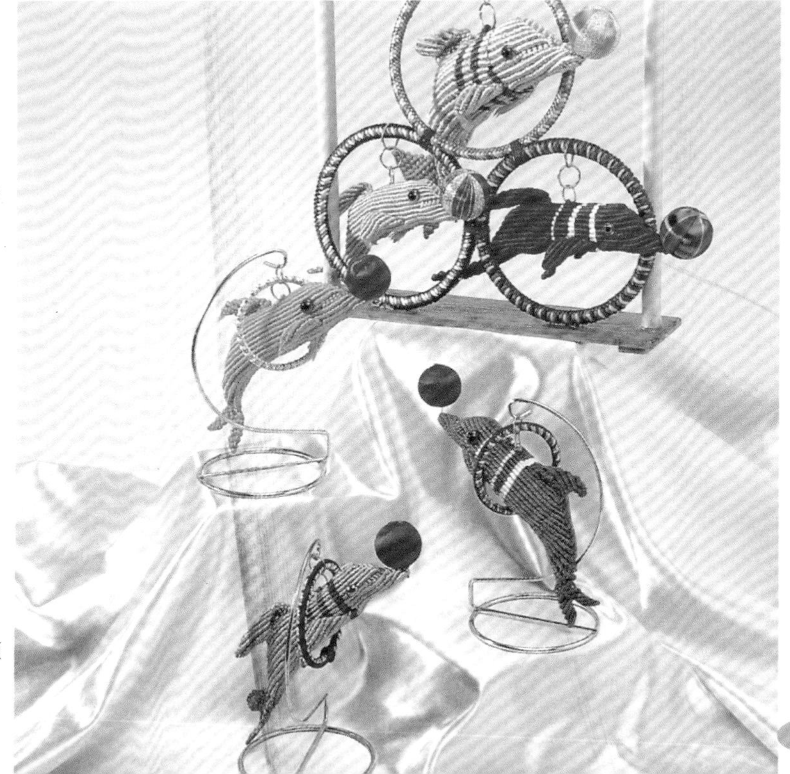

作法见 76 页

结编：套箍、钮扣（见58页）、绕线

结编：硬式八股变化、套箍（见60页）、平结、绕线（见62页）

结编：2×2盘长（见66页）、猫柳（秘鲁）结

结编：双联结（见61页）、套箍（见60页）、蚕丝线绕小段、绕线（见62页）、平结

结编：绕线（见62页）
绣花布包卷

结编：金刚结（见63页）、平结

结编：绶带结、8字结（见62页）、
套箍结（见60页）、8股变
化（见59页）、绕线

结编：8股变化（见59页）、套箍（见60页）

结编：8股变化（见59页）、套箍（见60页）

结编：8股变化（见5 9页）、套箍（见60页）

结编：8股变化（见59页）、套箍（见60页）

结编：8股变化（见59页）、套箍（见60页）

结编：8股变化（见59页）、套箍（见60页）

步骤·制作

基本结体变化

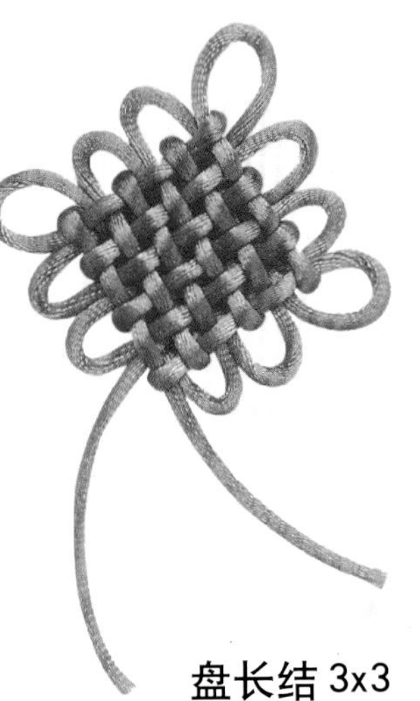

盘长结 3x3

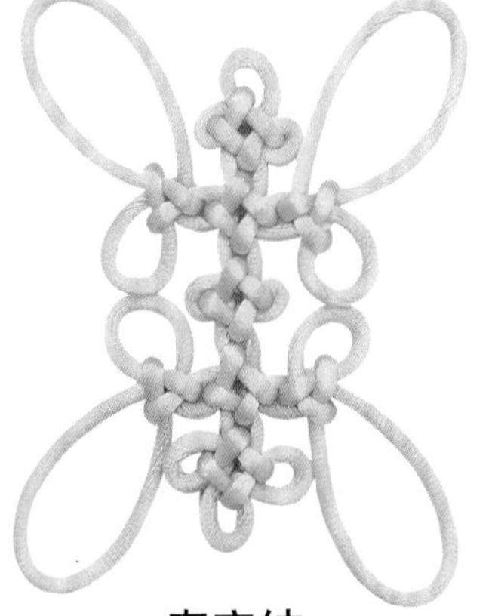

寿字结

试着把基本结加以变化，挑选几种结体组合(先制图)起来，瞧瞧能变出什么惊人的作品……

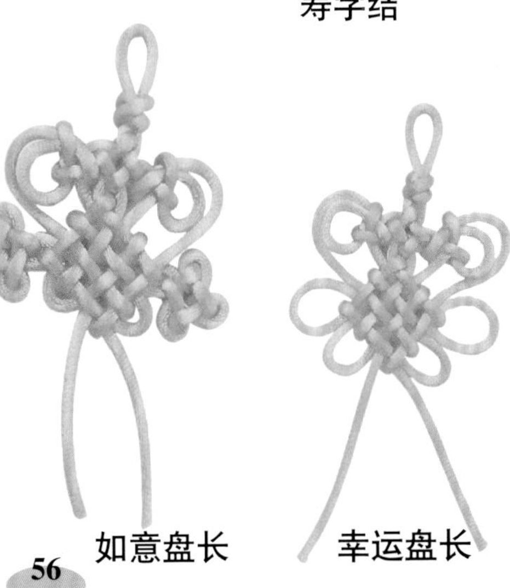

如意盘长　　幸运盘长

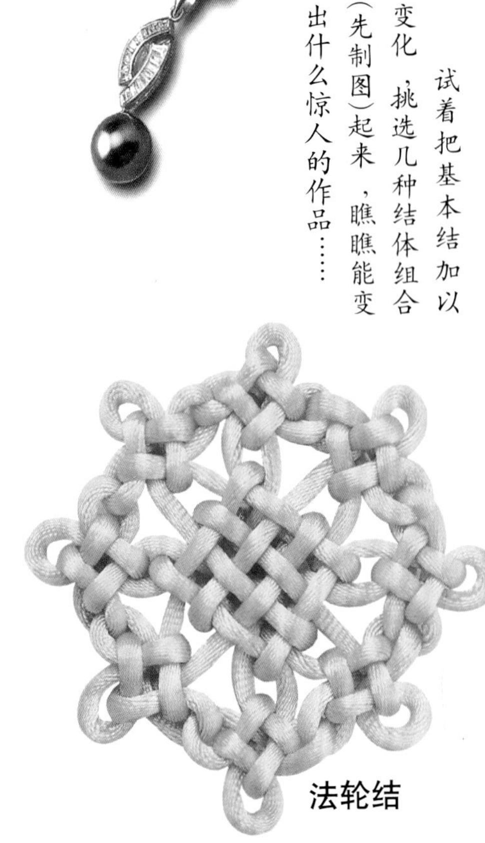

法轮结

使用材料工具介绍

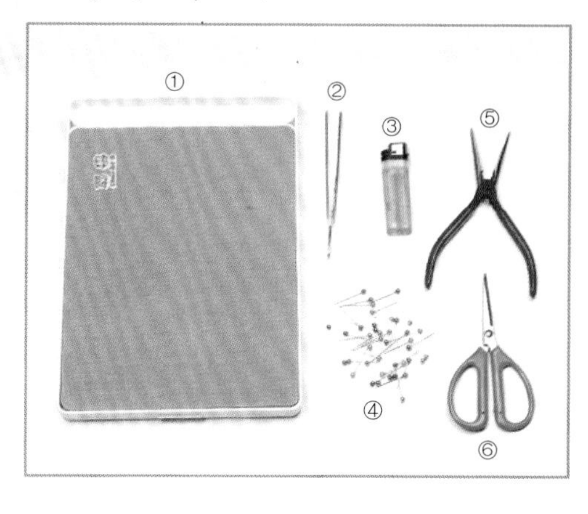

①针板※用途：用珠针将线固定于其上，再施打结用。
②夹子③打火机④珠针⑤镊子⑥剪刀。

玉石配件

进口硫璃珠

血珠

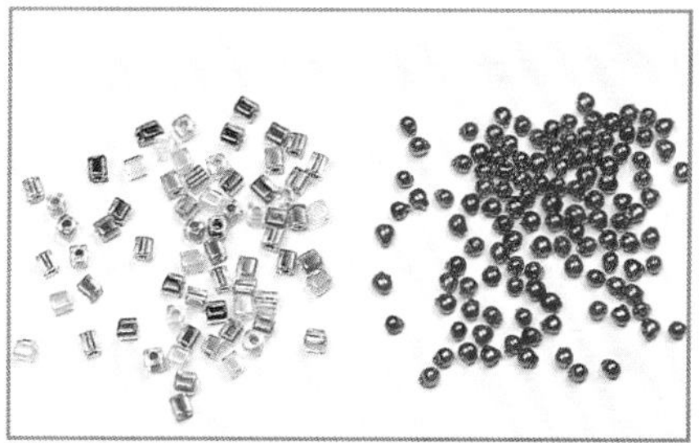
四角形珠、大肚珠

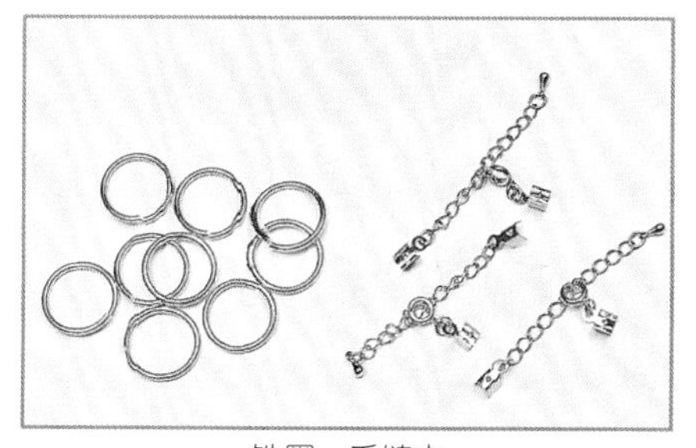
铁圈、手链夹

单线钮扣结（项链常用结）

压—跨过线上
挑—穿过线下

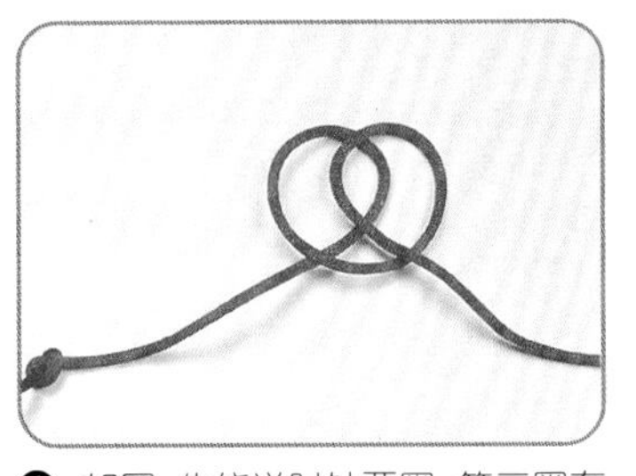

❶ 如图，先绕逆时针两圈，第二圈在上面，左侧的结视为起点。

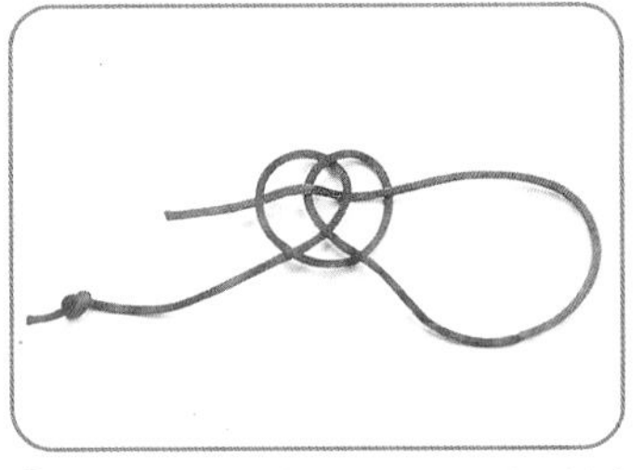

❷ 拿右线朝左方压、挑、压、挑穿过去，形成如下图的红色线部分。

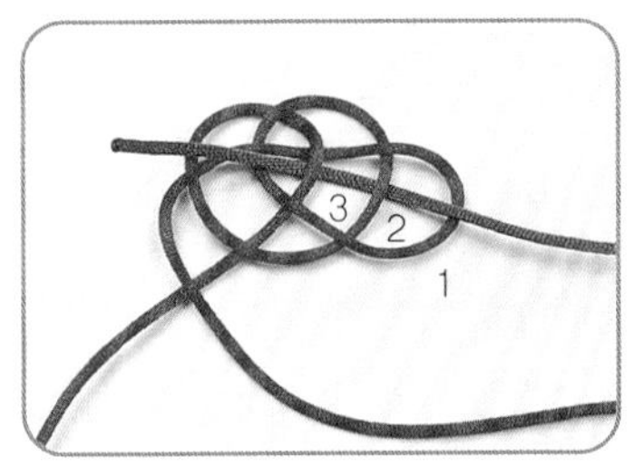

❸ 拿同一条线头拉至右边，再朝左压1，挑2与3，从中央穿出来。

❹ 拉紧修整成一个单线钮扣结。

为展现步骤清晰，使用较粗及色线示范且部分线会截短。

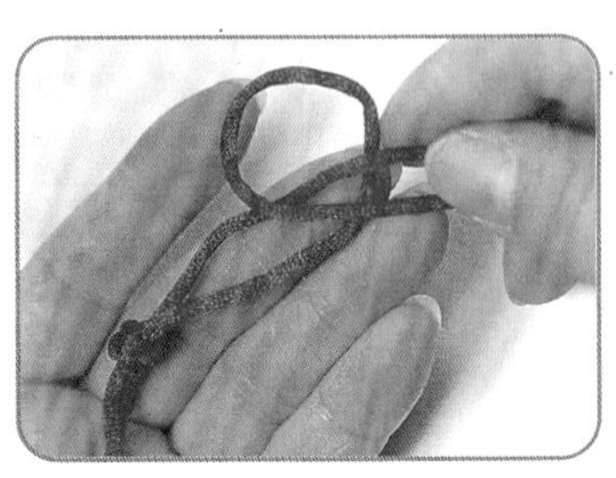

❺ 当项链完成时，打两个钮扣结收尾有伸缩长短的功能，图中手心处已完成一个，接着做第二个。

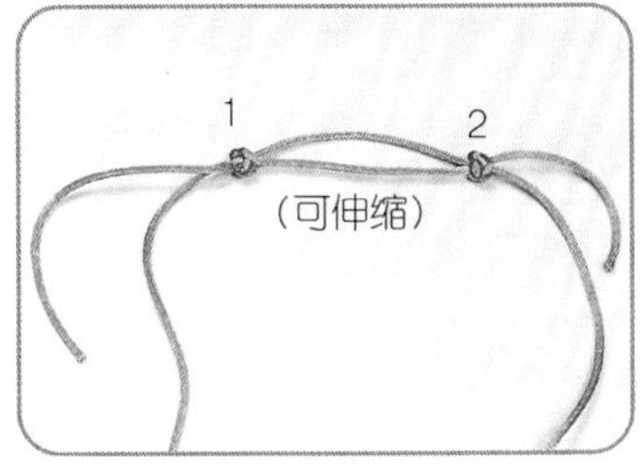

❻ 如此两个钮扣结之间可活动伸缩（余线剪去烧黏）。

双线钮扣结

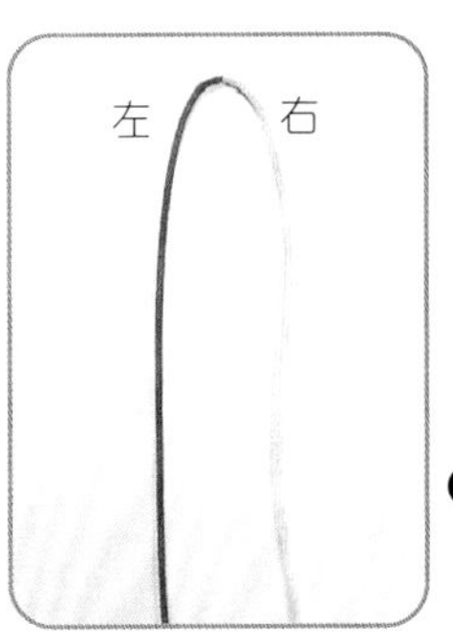

❶ 剪接处为中心点，黄色为右线，红色为左线。

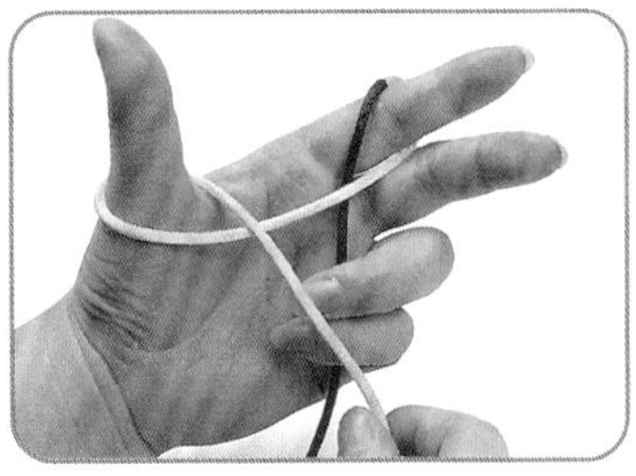

❷ 中心点挂在食指上，右（黄）绕在姆指上做个圈。

双线钮扣结

❸ 先将右黄线圈自姆指上取出后向前翻面并用姆指夹紧，再取左红线由右上方如图示，压、挑、压穿出来。

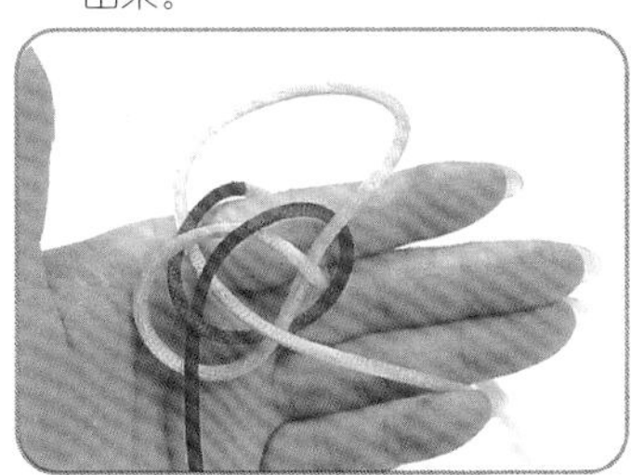

❹ 再拿右黄线从左上方，自线的后面向前从中央穿出。

❺ 换拿左红线经过右黄线尾下方绕过，再从右上方（线的后面）向中央穿出来。

❻ 自食指取下，将线拉紧整理，即成钮扣结。

八股变化编法

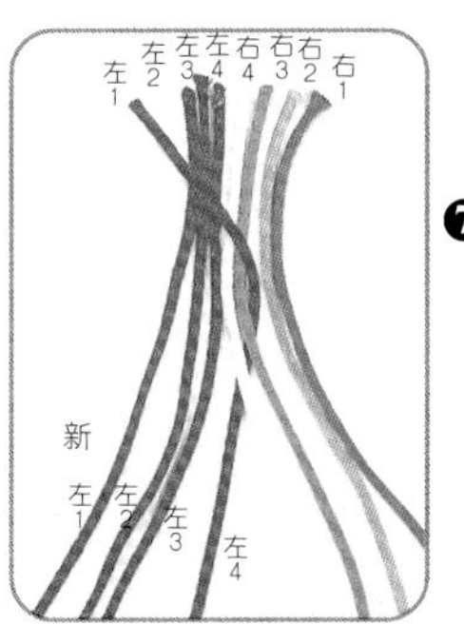

❼ 拉出左边第1条线，绕压右边包右3及右4，回到左边，形成新左4。

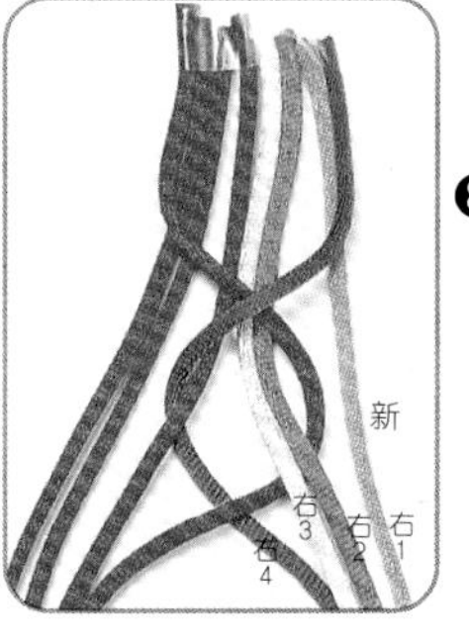

❽ 换右边做，拉出右1线，绕压左边包左3及左4，回到右边，形成新右4。

压—跨过线上
挑—穿过线下

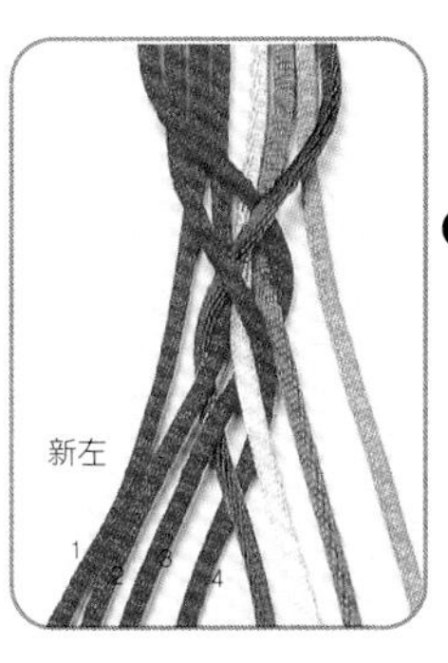

❾ 再换左边，拉图②的新左1（原左2）绕压右边包新右3及新右4，又回到左边，形成新左4。

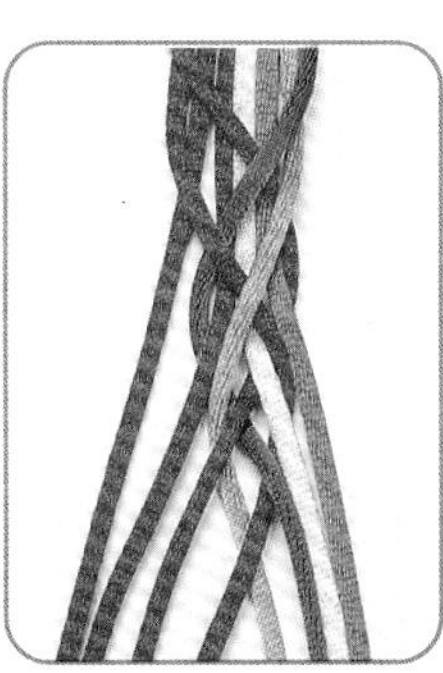

❿ 换右边做，一样拿右边第一条绕压左4、左3回到右边，与步骤❶❷❸相同的方法。如此左右左右轮流，依序重复接着做，至所需的长度即完成。

套箍编法

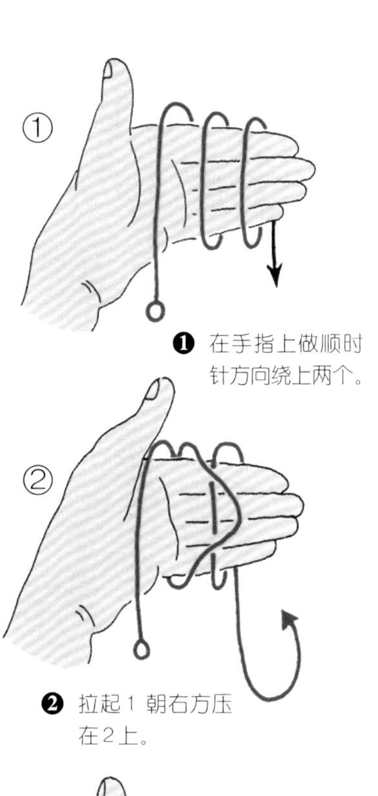

❶ 在手指上做顺时针方向绕上两个。

❷ 拉起 1 朝右方压在2上。

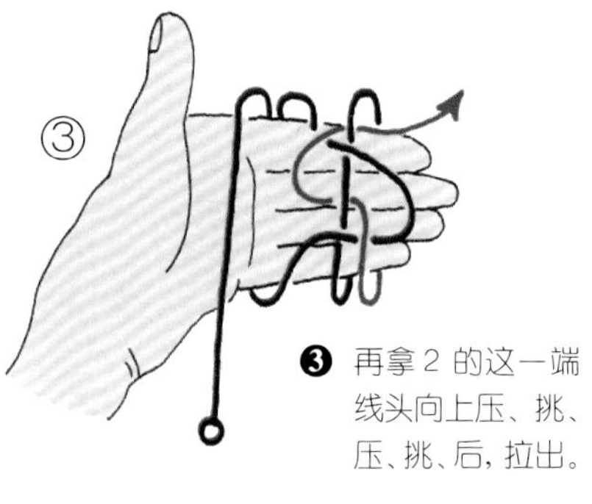

❸ 再拿 2 的这一端线头向上压、挑、压、挑、后，拉出。

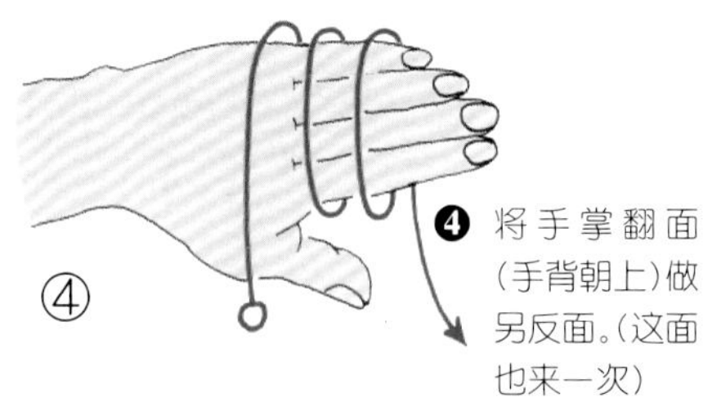

❹ 将手掌翻面（手背朝上）做另反面。（这面也来一次）

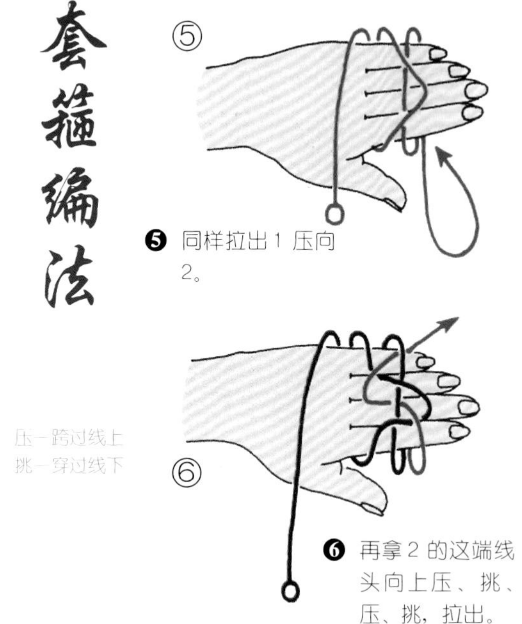

❺ 同样拉出 1 压向 2。

压—跨过线上
挑—穿过线下

❻ 再拿 2 的这端线头向上压、挑、压、挑，拉出。

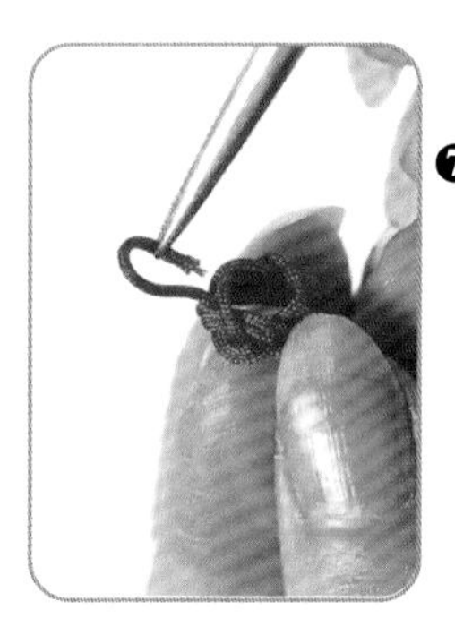

❼ 将线圈逐一收紧合体后穿入烧黏，成一套箍，若需要加大套箍的尺寸，用步骤❶的方法，再跟线一次。

注：把套箍套在所需之处，可以活动式或用施敏打硬（粘剂）固定。

双联结编法

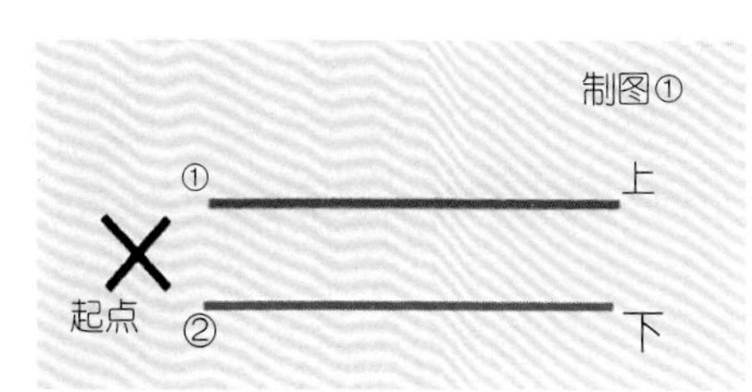

❶ 找出适当位置，准备编结。①、②两线平行分上下。

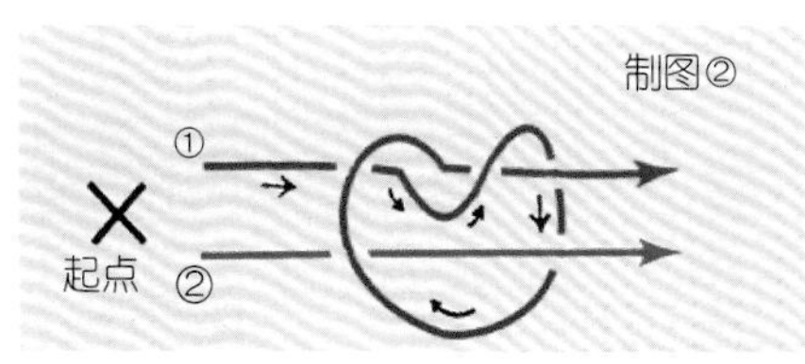

❷ ①线由上往下由②线后方再往上绕打结且暂不拉紧。

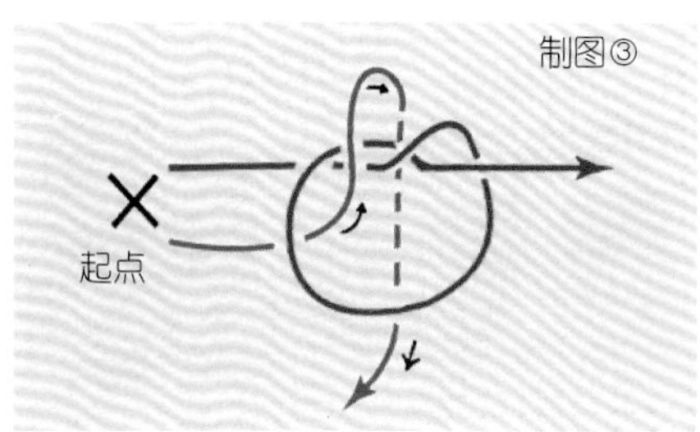

❸ 取②线由上往后方绕下来。
（虚线表示在后面）

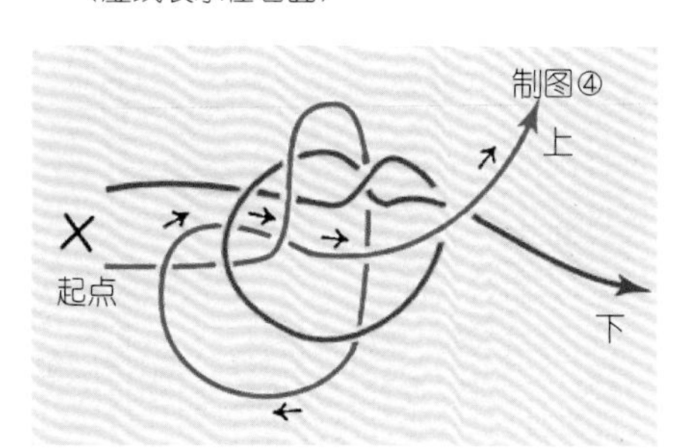

❹ 继续将②线向左上方近起点处跨过，按箭头指示穿出来，再交叉拉紧上下线即成双联结。双联结也可使用于收尾固定。

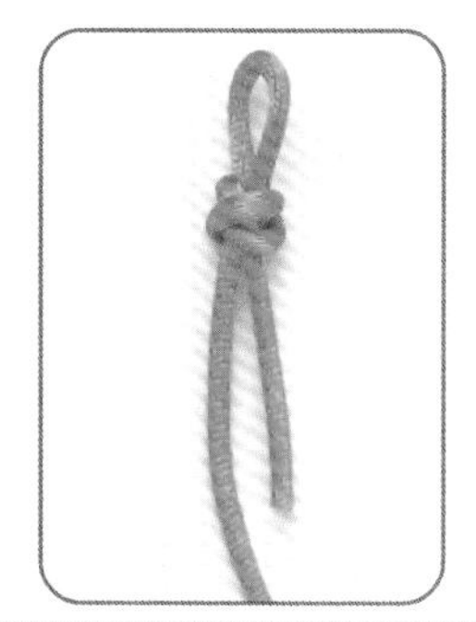

双联结完成图

双线平结编法

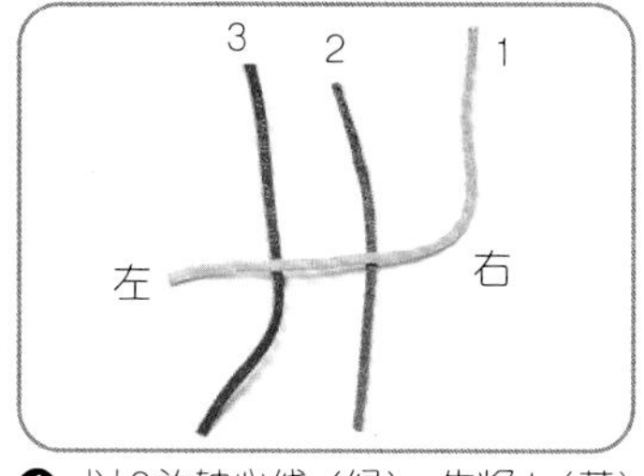

❶ 以2为轴心线（绿），先将1（黄）左弯。

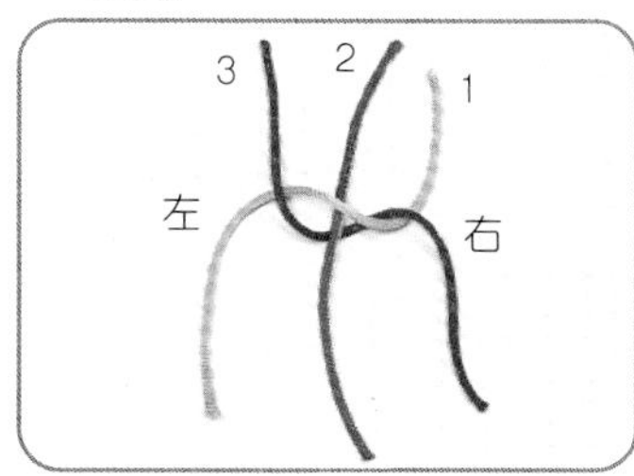

❷ 再取3（红）朝右方压1后挑2（轴心），如图所示再压1拉紧，就完成一个双线平结。

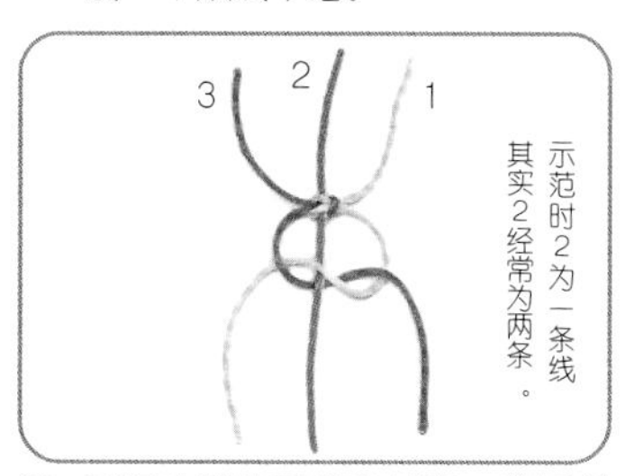

❸ 重复步骤做至所需长度，剪云多余的线并烧粘固定。可将被收尾用的项链或手环尾线交叉当做轴心2，再拿两条线做1、3包覆住2，做成可松紧活动式手环。

八字结编法

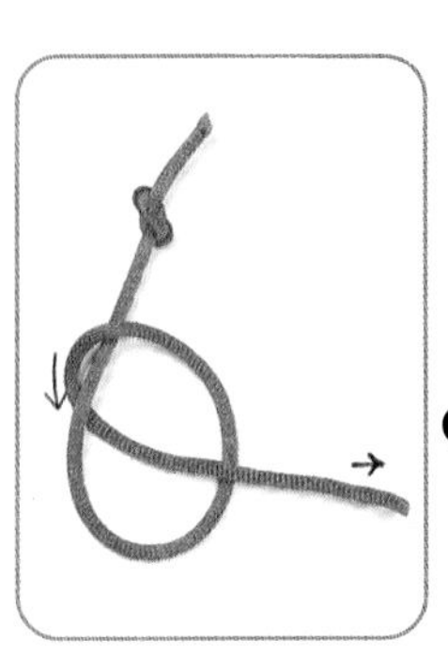

❶ 如图示，线作逆时针绕个圈，压、挑、压后往下穿出。

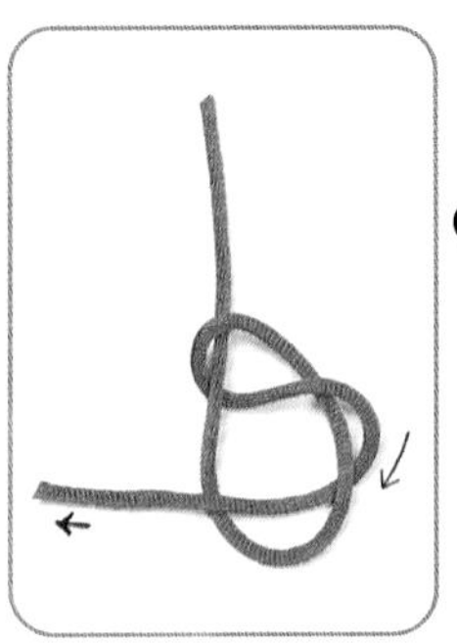

❷ 线接着作顺时针方向挑、压穿过中心区。

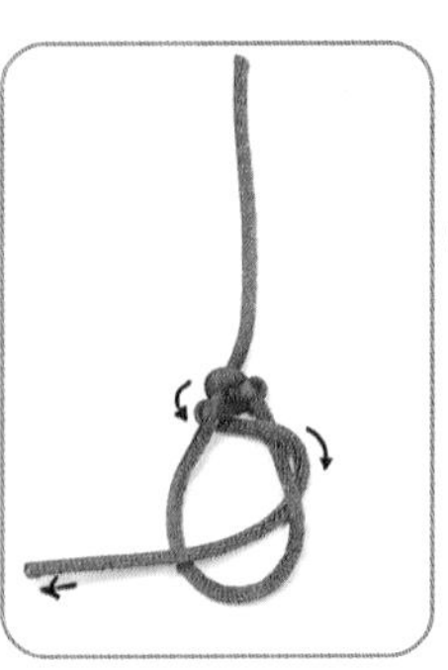

❸ 线以逆时针方向朝下绕过另一边穿出，再顺时针同步骤❸穿过。

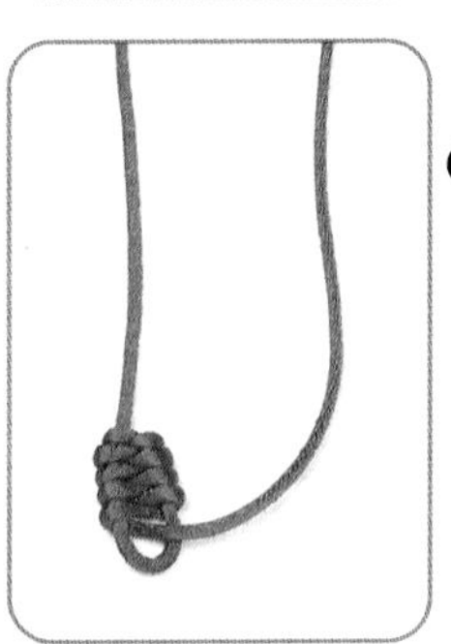

❹ 顺时针4次，逆时针5次绕好后，接紧整理，烧黏、固定即成8字结，大小可增减绕线次数。

绕线法

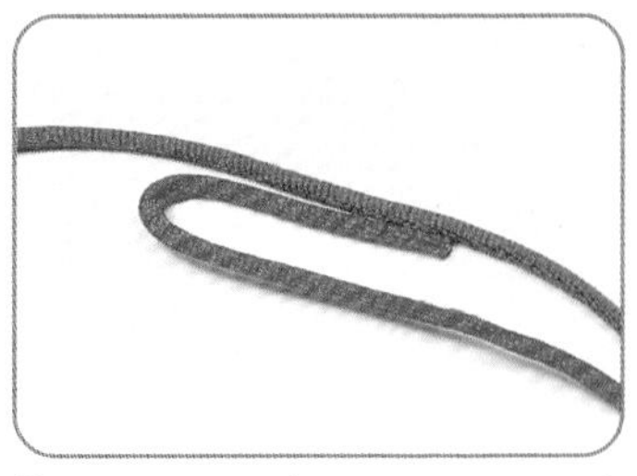

❶ 特细玉线先弯折约4公分。（图中绿色为粗玉线，红色线为特细玉线，示范时用粗线）

❷ 用手捏住，以粗玉线当支干，将细玉细由手指外往内依顺时针方向绕。（弯折圈被手指捏住）

❸ 继续由手指外往内绕线。（须整齐、紧实）

❹ 绕约1公分长后，将线穿入原先弯折而形成的圆圈内。（长度可随喜好自由选择）

为展现步骤清晰，使用较粗及色线示范且部份线会截短。

压—跨过线上
挑—穿过线下

金刚结

❶ 绿线逆时针绕在红线上（与蛇结相同），左侧的两结体则为秘鲁（猫柳）结。

❷ 将红线用手指压紧，再拿红线头，穿过绿色线环。

❸ 拉紧后，重复做下去，形成如图。

蛇结

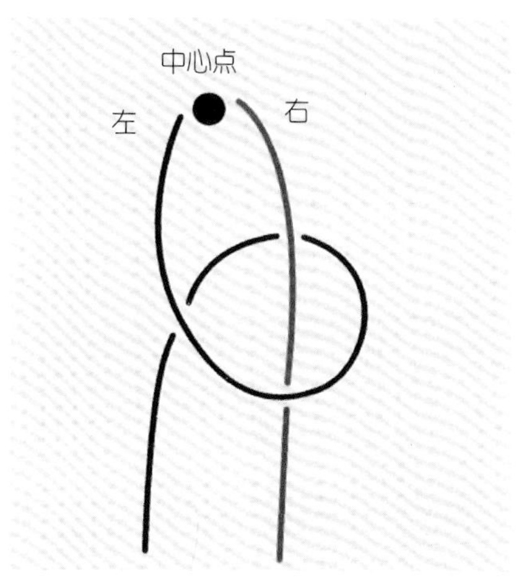

❶ 在适当处取中心点，左线逆时针由上往下绕，包右线。

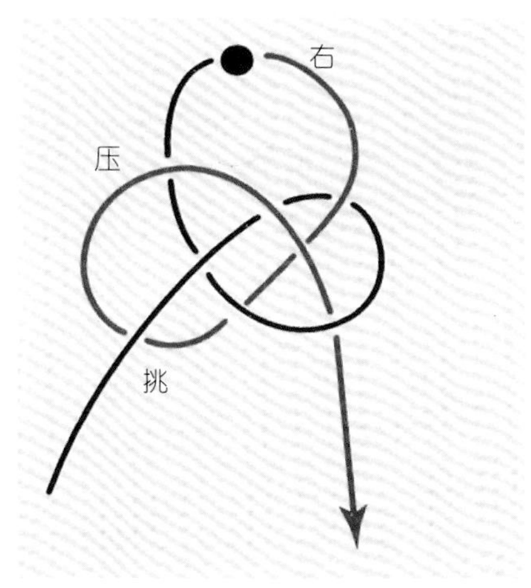

❷ 再取右线往左顺时针绕，如图示挑压穿出后拉紧。

注：蛇结与金刚结的结体看似相同，作法则不一样。金刚结不会拉动，蛇结可以活动，所以在做项链时使用金刚结的固定性较佳，不会久戴后变长了。

2 耳酢酱草结

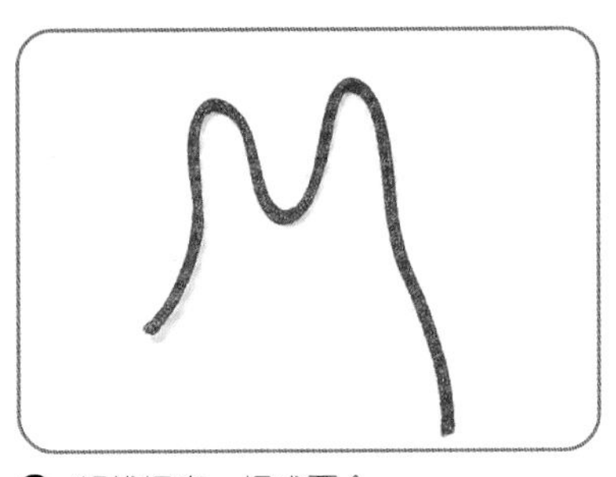

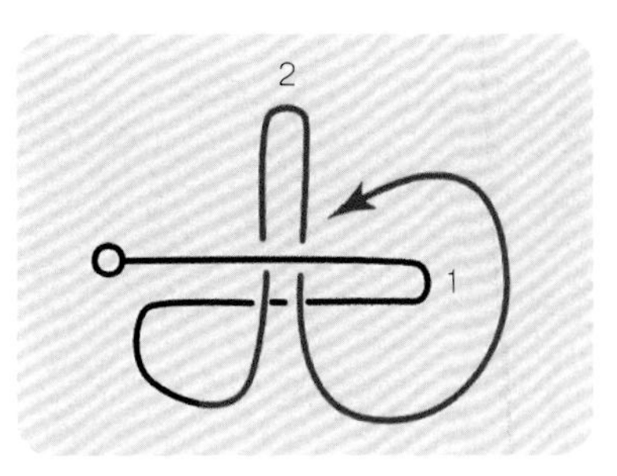

❶ 将线捏套，担成两个。

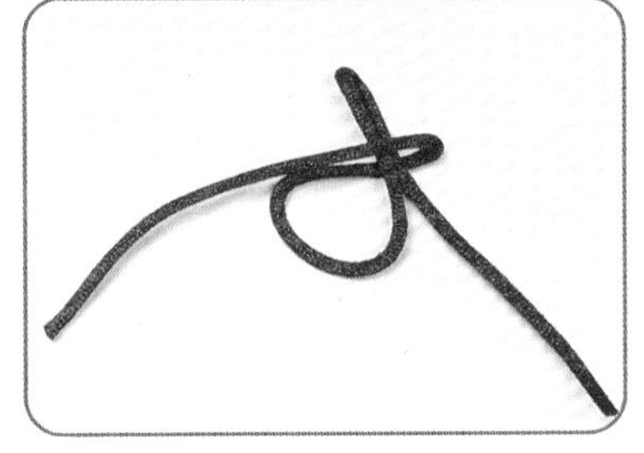

❷ 拿2套进（穿入）1套。

❸ 再拿线头如图示先进套，再包套。将线拉整即成。

❹ 完成。

进套—穿过两线之间
包套—上下包住两线
捏套—右线捏套

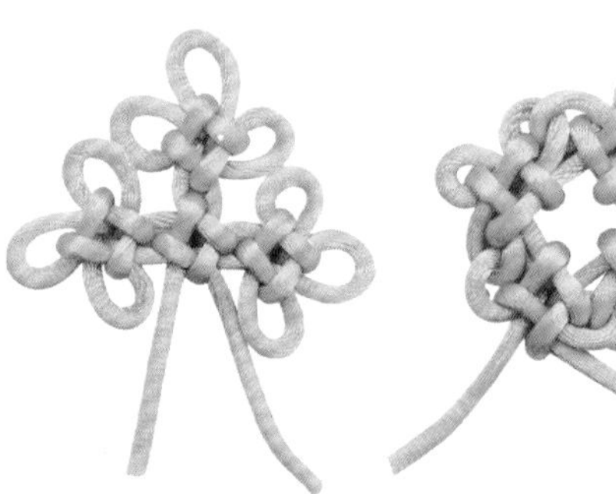

3耳酢酱草结

❶ 同（2耳，见前页）之步骤，先做两个捏套，再拿2套进1套。

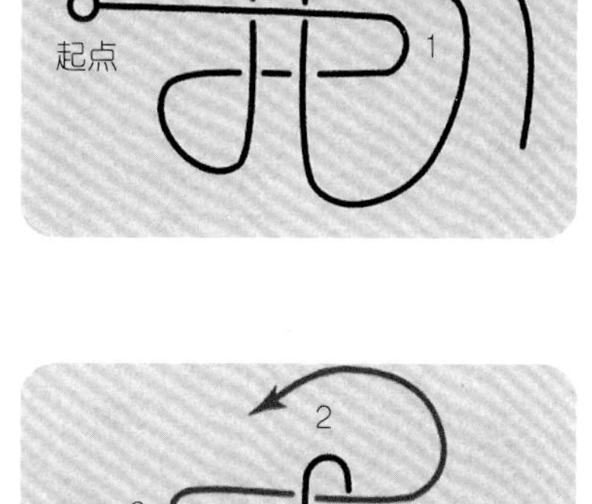

❷ 线头再捏一套进2套，形成第3套。

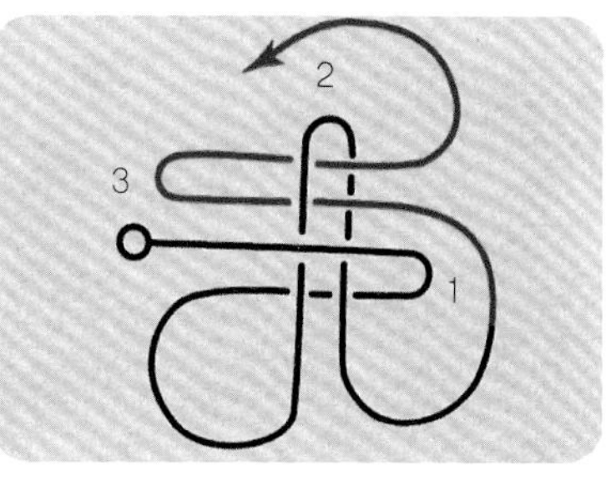

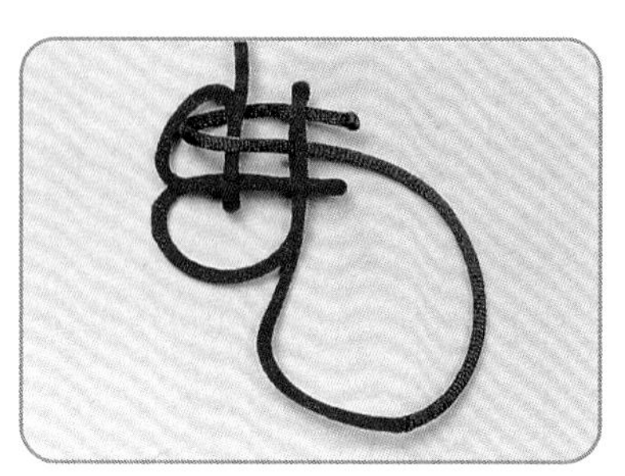

❸ 再做进3，包1（靠起点这边）后，将线拉紧，整理后即成。

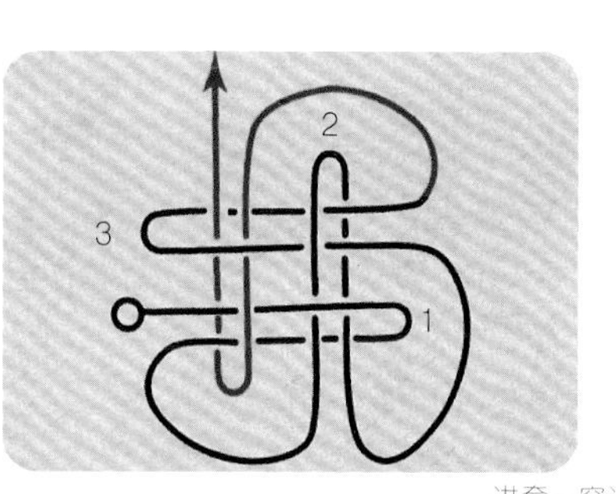

进套—穿过两线之间
包套—上下包住两线
捏套—右线捏套

❹ 完成图。

酢酱草蝴蝶
（正幸运蝴蝶）

基本2x2盘长结

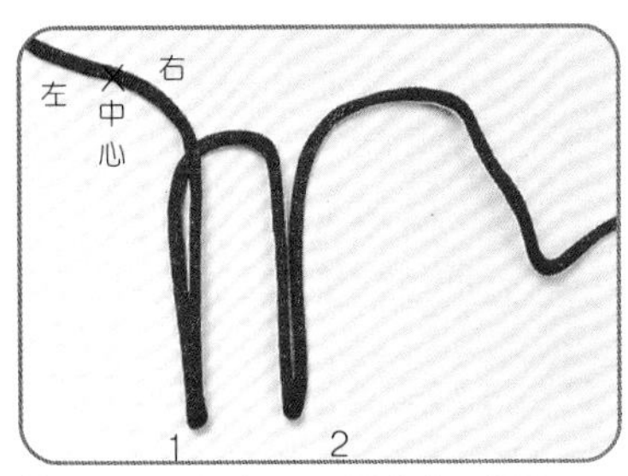

❶ 先做直立的1、2两直套，如图。

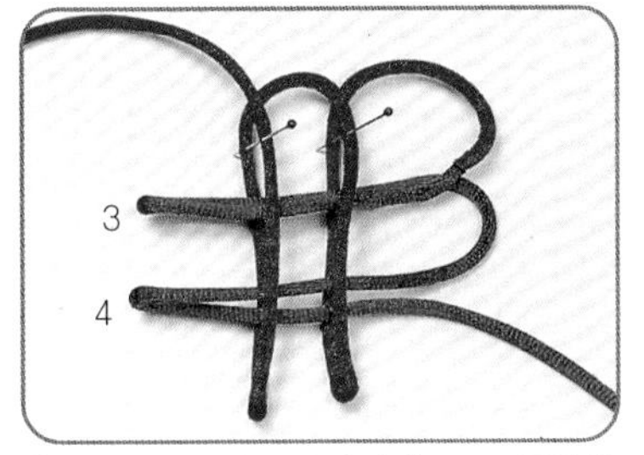

❷ 再取右边线，做右边的3、4两排横捏套，3、4进1、2。

❸ 换回左边，取左线做左1、左2两排全上全下横套，即左1、左2包右1、右2。

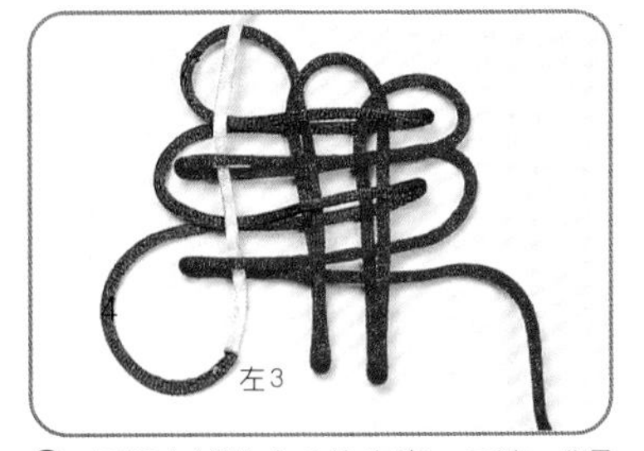

❹ 再取左线做左3的直套，口诀：“遇右线进，遇左线包”的方式进行。此口诀应记住。

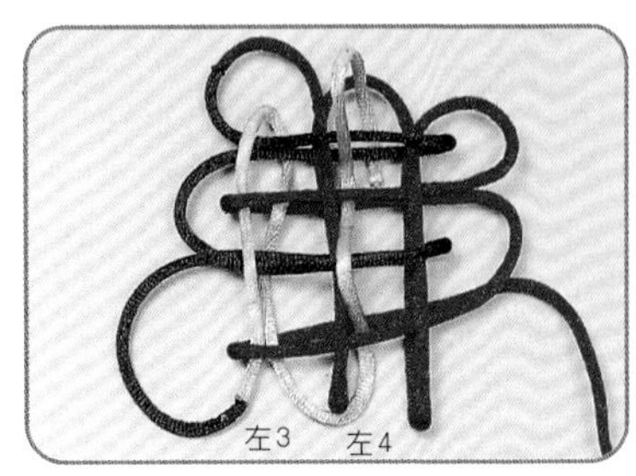

❺ 左3直套做完再同步骤❹,做左4直套。

❻ 最后将线调整即成。

材料：吊饰／5号线10尺　项链／粗玉线12尺

盘长结变化复翼结

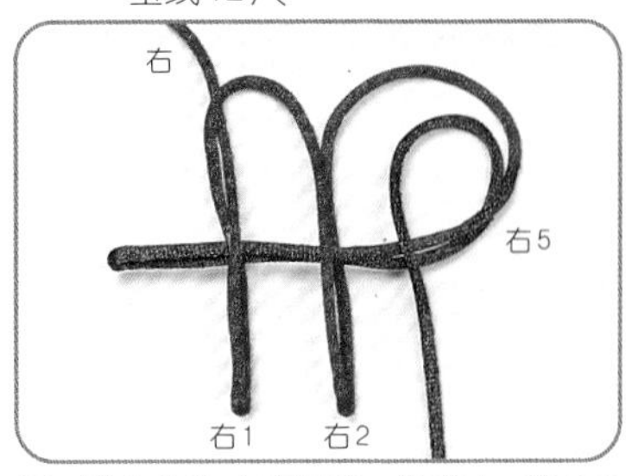

❶ 线中心处由右开始，做右1、右2直套，再如图绕一圈继续朝左做捏套成为右5横套（先做）

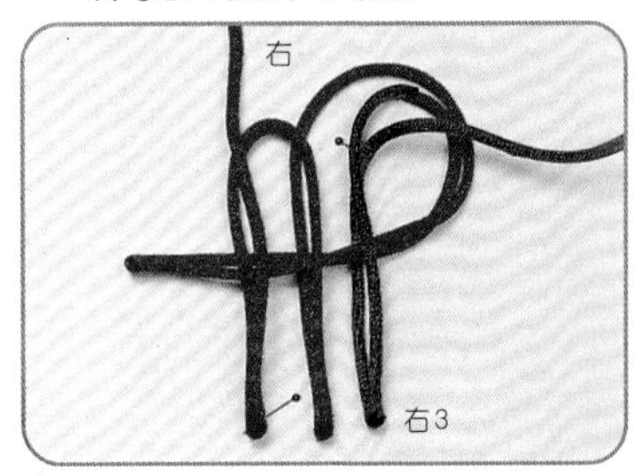

❷ 又做一个右2边的直套右3（绿，先绕一圈由上往下、进右5）。

盘长结变化复翼结

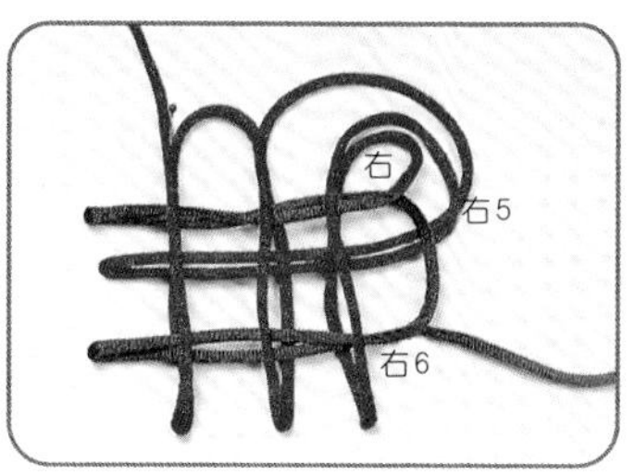

❸ 同条线（绿）做捏套，如图做成右4、右6后，暂停。

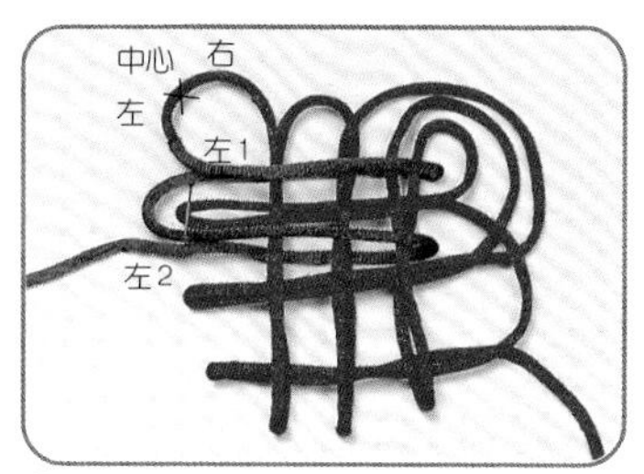

❹ 换左边，左线（绿）朝左全上全下做左1、左2横套。
换边时，注意预留所需的线长。

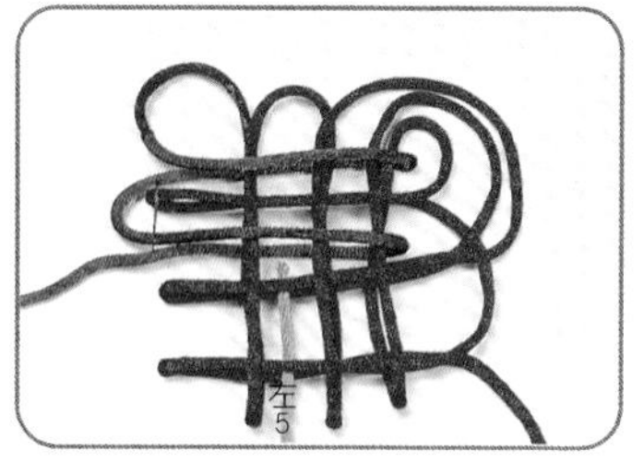

❺ 左线（黄）由下往上，注意：正在做进右6与右5的情形。

❻ 继续往上（黄改绿），包、进、包形成左5（先做）的直套。

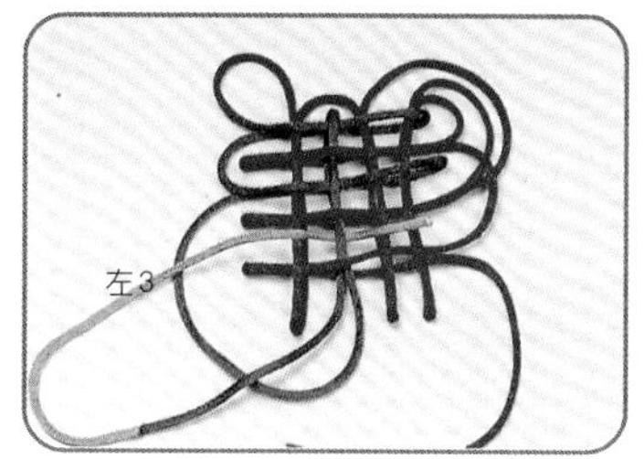

❼ 接着又绕（黄）向由左而右做左3横 套，先包右1、进左5、再包右2与右3（此处要注意）

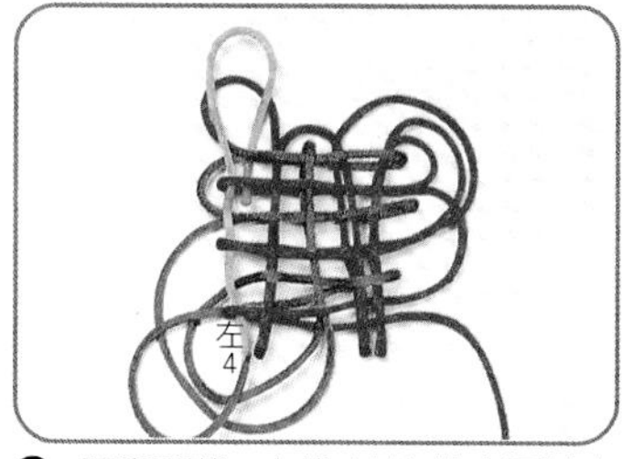

❽ 预留翼线，左线（黄）做由下往上最左边直套左4，进包如图示。

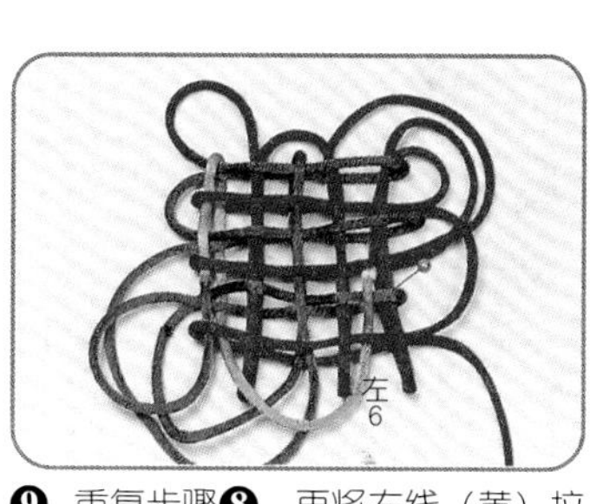

❾ 重复步骤❽，再将左线（黄）拉至右2、右3间，完成左6直套。

进套—穿过两线之间
包套—上下包住两线
捏套—右线捏套

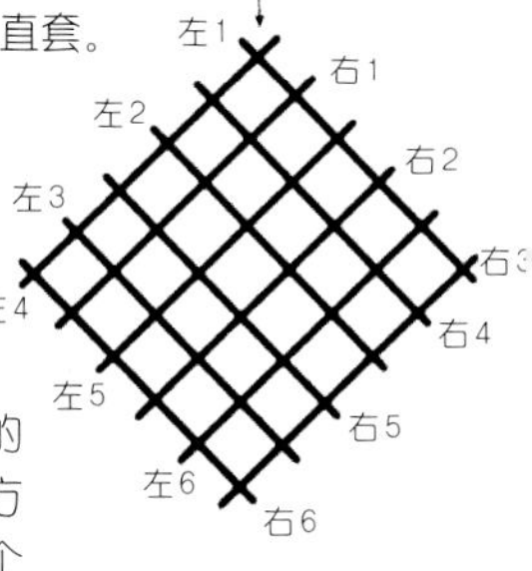

❿ 调整合体的完成图，上方先预留一个圈打一个双联结。下方也打双联结。

长盘长结

材料:
粗玉线15尺x1条

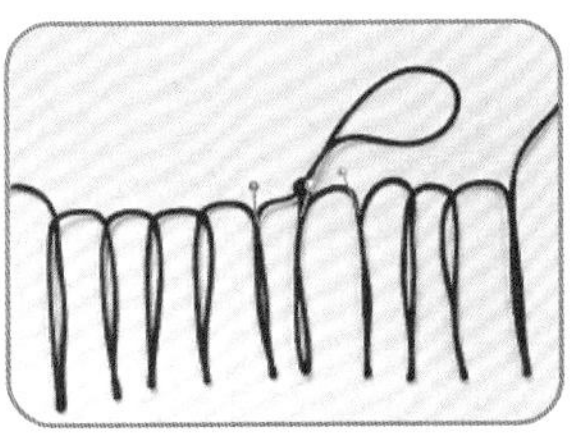

❶ 将线中央预留所需长度，打个双联结固定，再朝左右两边各做直套（各5行）。

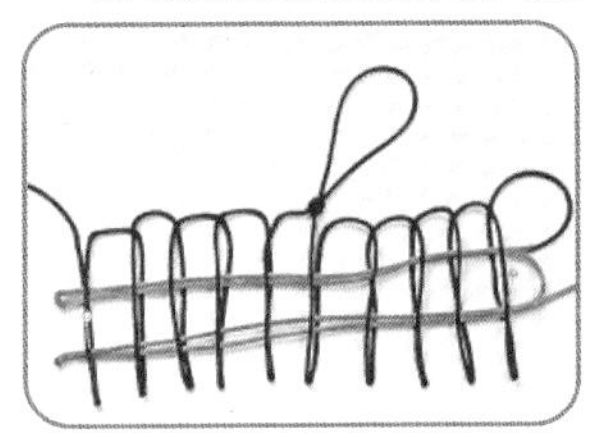

❷ 先拿右线（绿）捏套，进所有直套，做成两排横套。

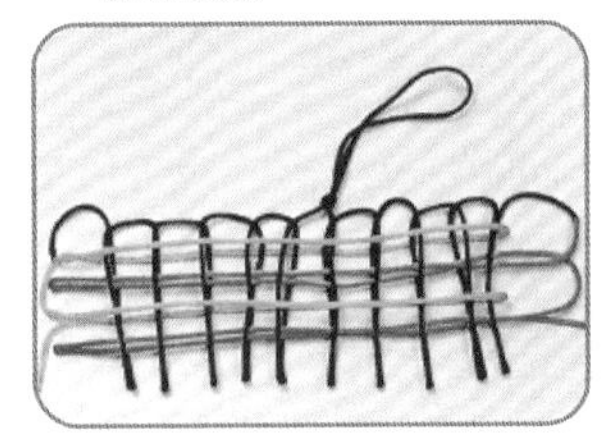

❸ 换拿左线（黄）做全上全上（包直套）的两排横套。

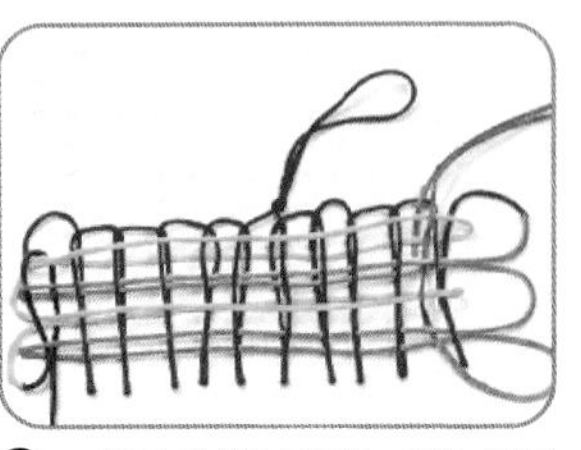

❹ 一样拿左线（蓝）由下而上，做进、包（如图：逢右进、逢左包），做完左边5行直套。

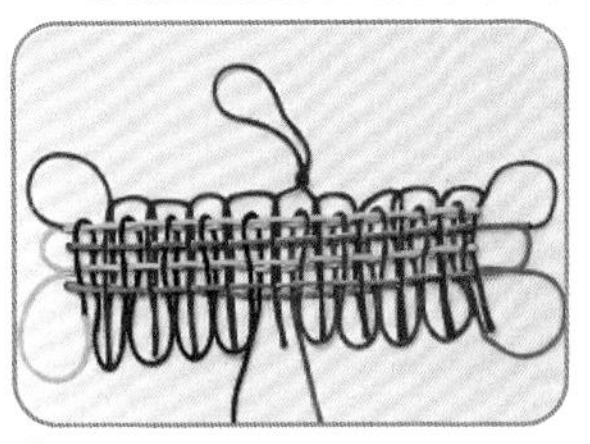

❺ 做完左边换右边，右线（橙）由下而上，自右朝左同步骤❹方法，做完右边5行直套。

❻ 调线即成。图中为求美观，将长方形折成弯月状。

盘长蝴蝶结

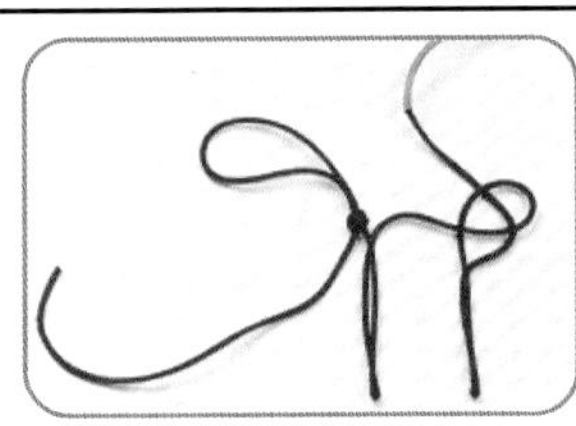

❶ 线中央打一双联结固定（预留长度可假设为此圈），右边起朝下做一直套（右1）后将线扭一耳，再做第2个直套（右2）。

❷ 再走线压、挑、压、挑、压的绕个圈，并预留右翼线。

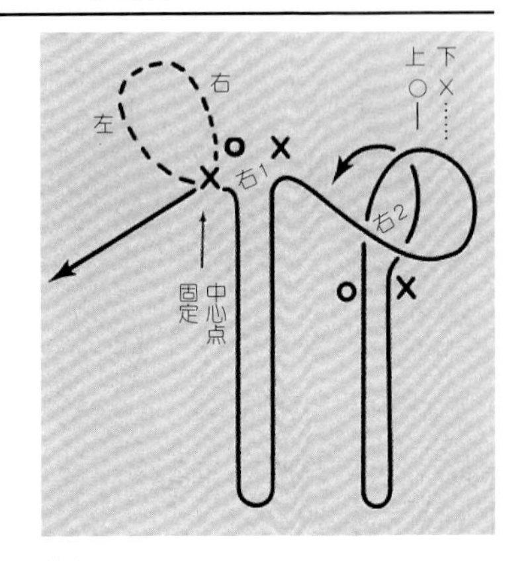

压—跨过线上
挑—穿过线下

进套—穿过两线之间
包套—上下包住两线
捏套—右线捏套

为展现步骤清晰，使用较粗及色线示范且部分线会截短。

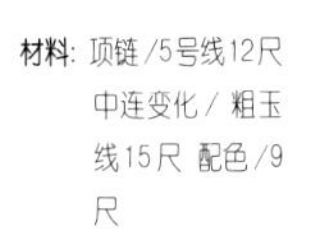

材料：项链/5号线12尺
中连变化/粗玉线15尺 配色/9尺

盘长蝴蝶结

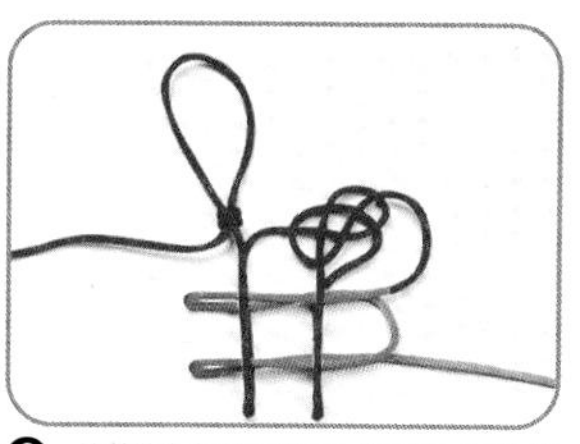

❸ 接着做向左走线的捏套（进右2、右1）成为右3、右4的横套，暂停。

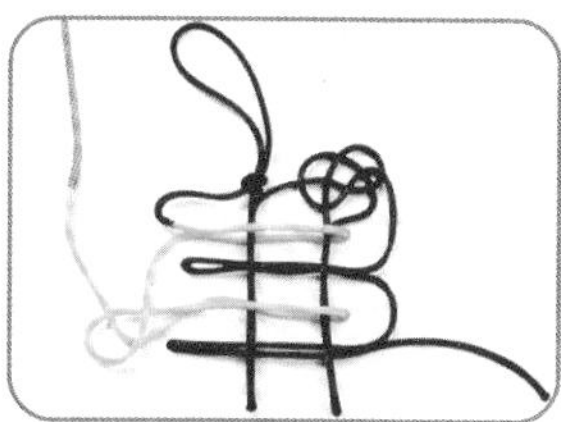

❹ 换做左边，取右线（黄）朝右做一个全上全下横套（即左1，包右1、右2)同样扭一耳，与右边对称，再做一个相同的横套左2。

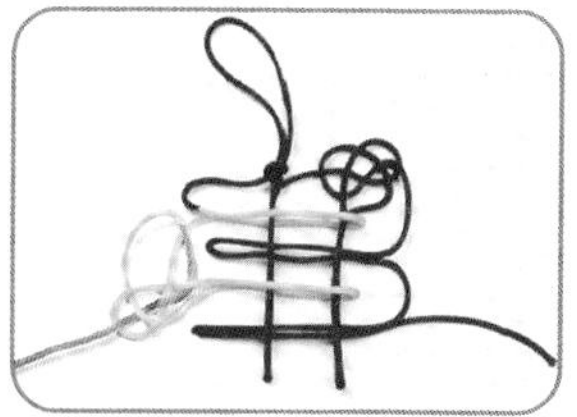

❺ 同步骤❹对称，耳上加个圈。

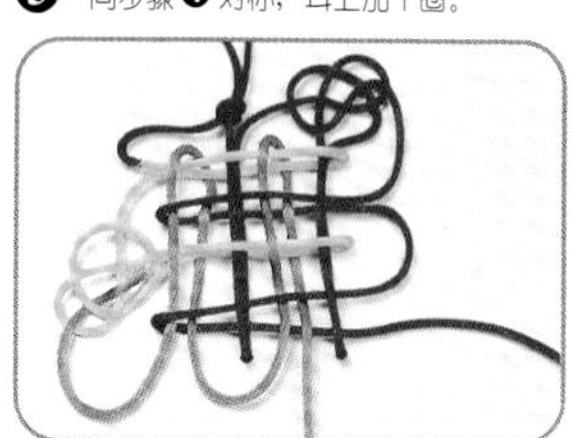

❻ 继续朝上依序做左3、左4的直套（进、包、进、包）

❼ 完成如图。（图下方加一只联结固定）

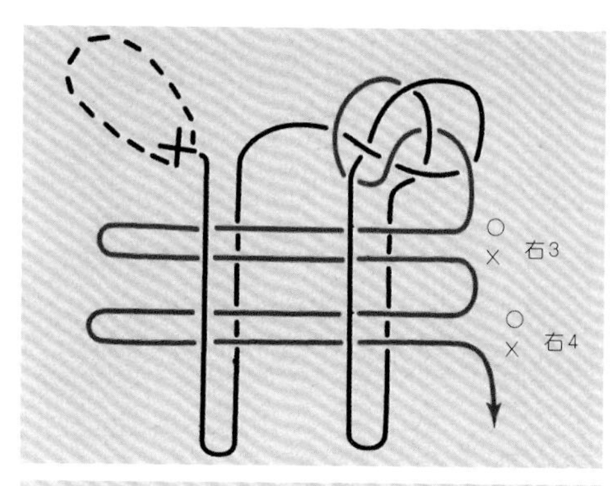

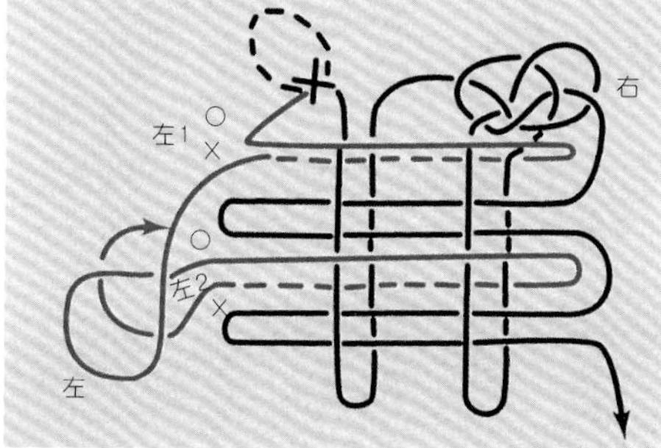

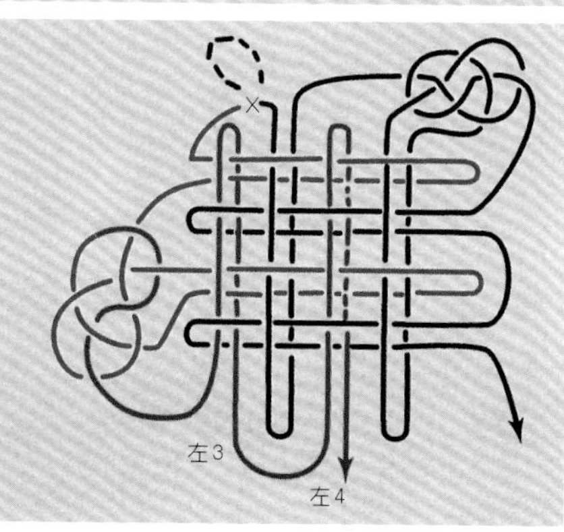

材料:
A 玉线6尺

六耳团锦结

中央● 上○ 下×…

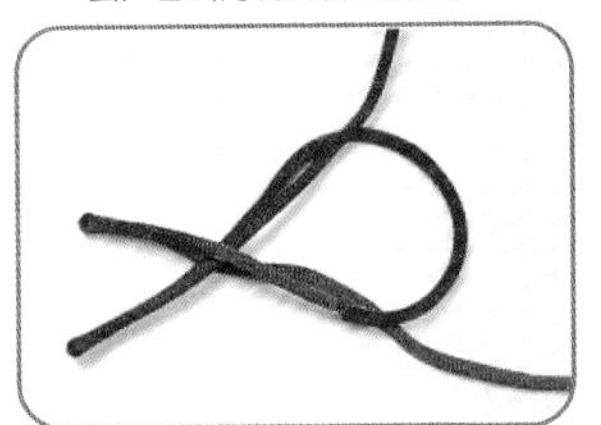

❶ 由左而右走结，先由上往下做右1套，右线再绕回朝左上走。

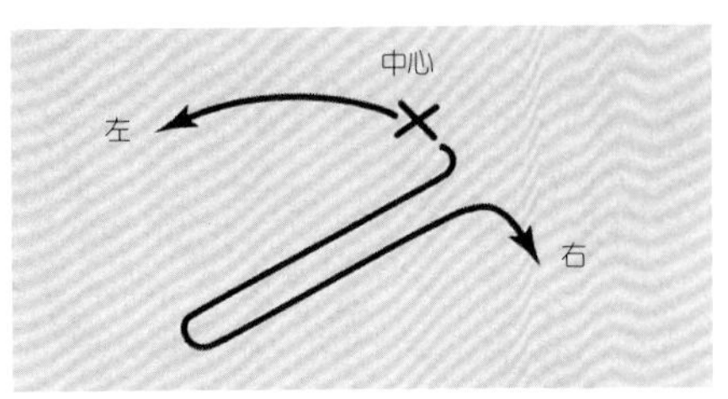

❷ 做右2套，全上全下包右1套。

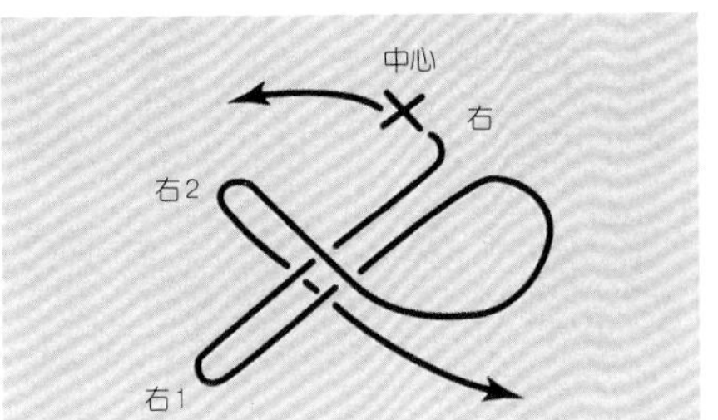

❸ 同条线再朝上走，绕下后包1、2套成右3套，右线暂停。

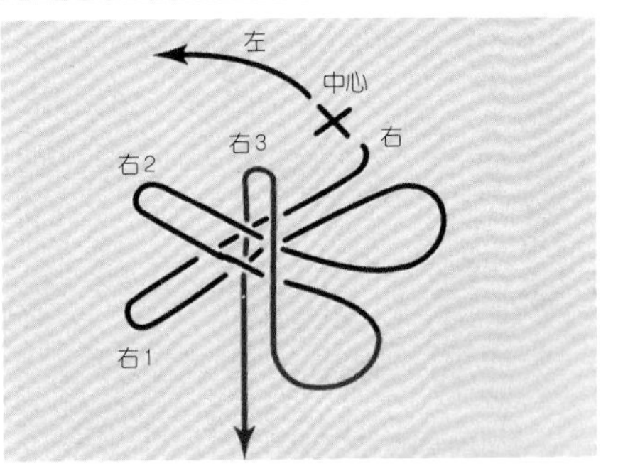

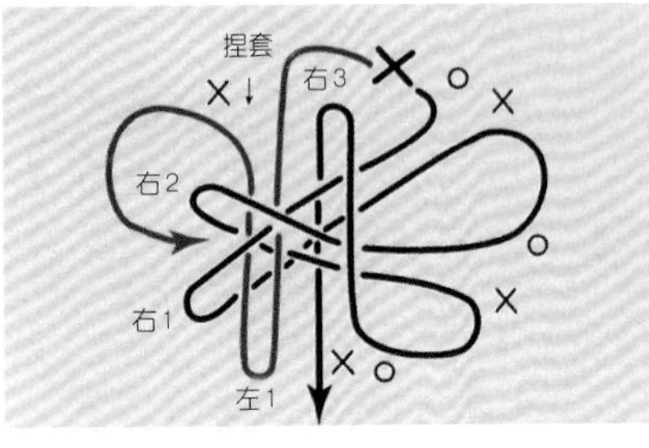

❹ 换做生边，取左线捏套进右2、右1套的中间，做成左1套，左线再朝右走。

❺ 左线进右1、左1的中间，再包右3后面，做成左2套。

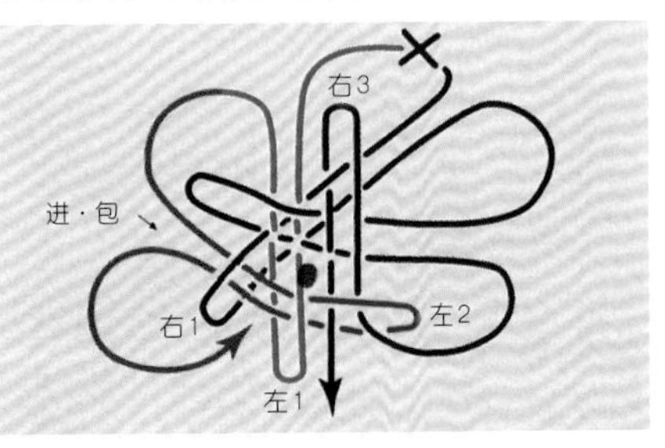

团锦结编法

❻ 同条线再进左1、左2的中间，包后面两套，成左3套。

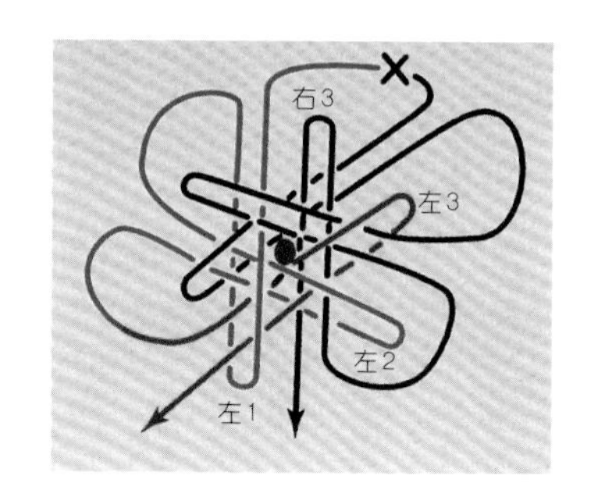

❼ 调整成完成图。
注～六耳团锦口诀～
逢洞进，过洞包

六耳（实心）

十耳

十二耳（星辰结）

八耳（菊花结）

团锦结（正蝴蝶）

十耳空心团锦

高升结

材料:
A 玉线 13 尺 x1

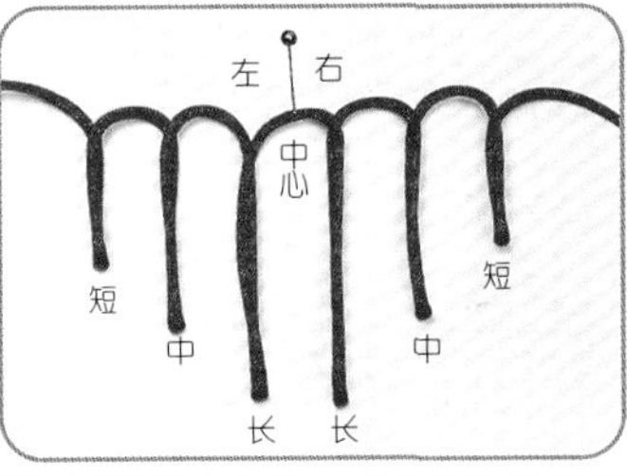

❶ 取线的中心处，左右先做两排由上而下的长直套，再各做1中、1短的直套。

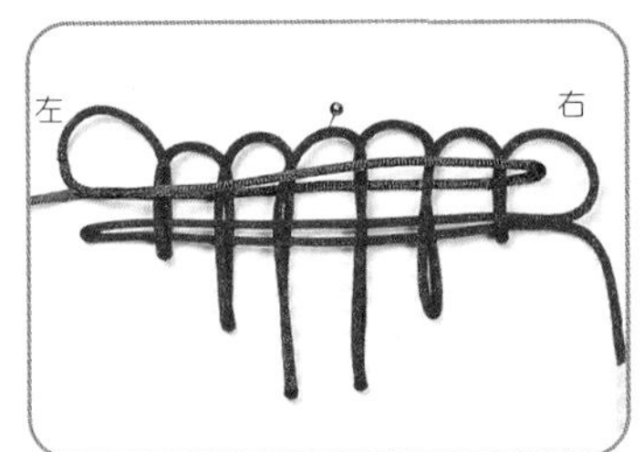

❷ 取左线（绿）做横套（全上全下包住上述6个直套），再取右线（红）做捏套（进入6个直套中）。

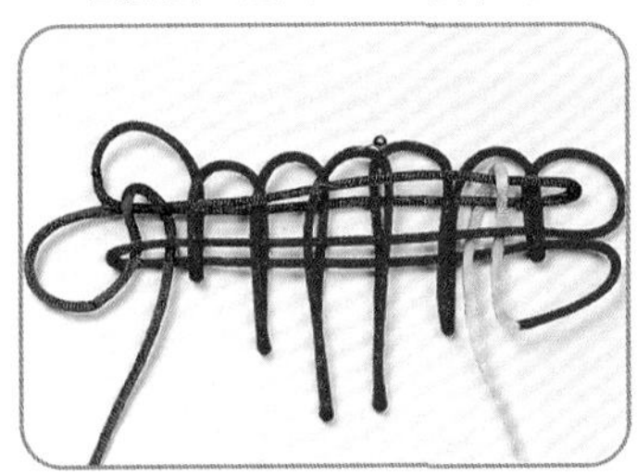

❸ 绕下左右线各做由下而上的直短套（先进、后包），如图示。

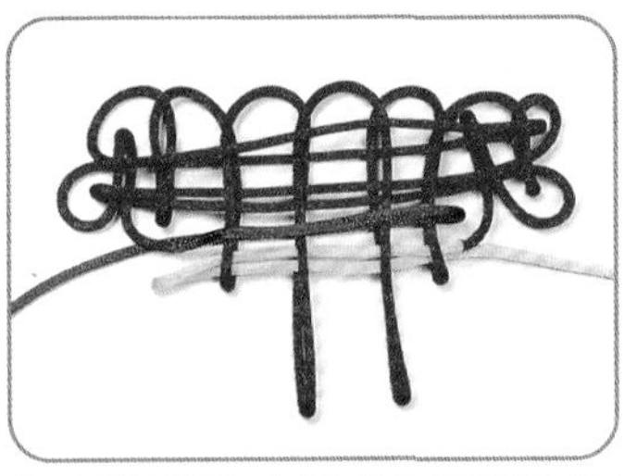

❹ 同步骤❽，左线（绿）做横套（包住4个直套），右边线（黄）则做捏套（进入4个直套中）

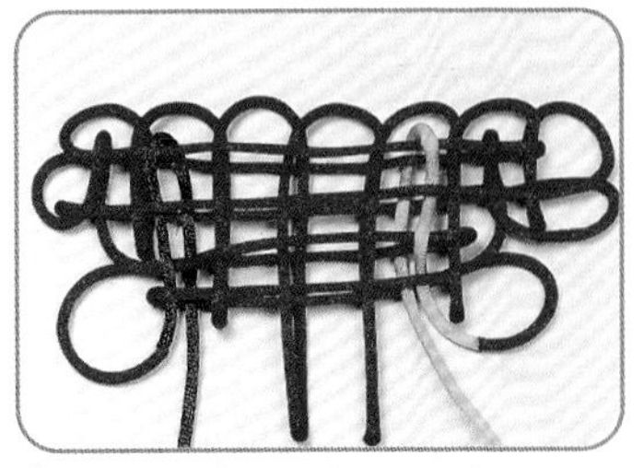

❺ 同步骤❸，左线（绿）右线（黄）两边各做直套（进、包各两次）

❻ 再做左（绿）、右线（黄）边的横套（左包2直套，右进2直套）

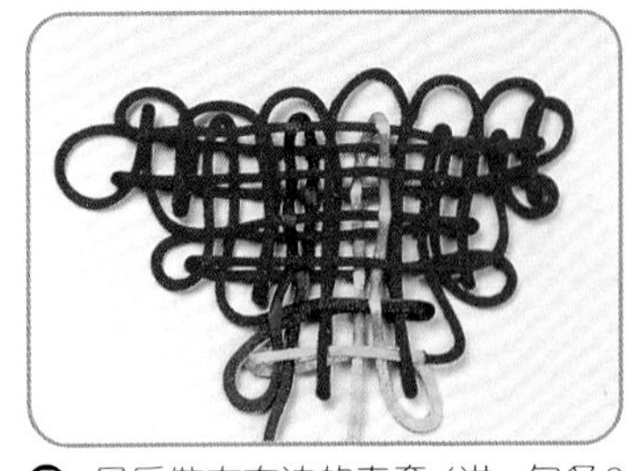

❼ 最后做左右边的直套（进、包各3次）调线后即完成。

❽ 图中为正高升结，本文因设计成项链，少做下方倒数的两层。

进套—穿过两线之间
包套—上下包住两线
捏套—右线捏套

磬结

材料:
粗玉线 13 尺 x1

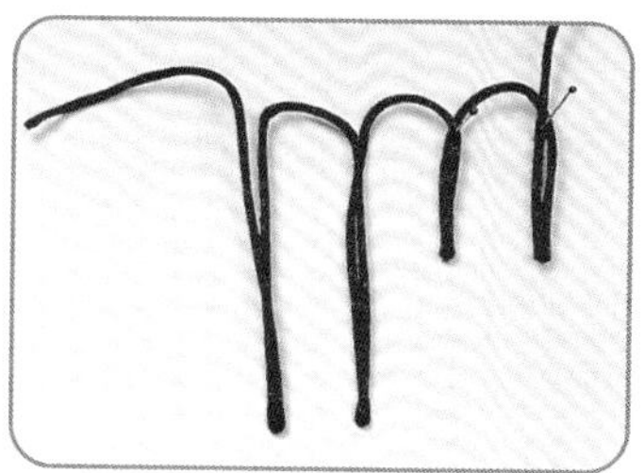

❶ 取线的中心后，右线由上往下朝右做2行直（长）套，2行直短套。

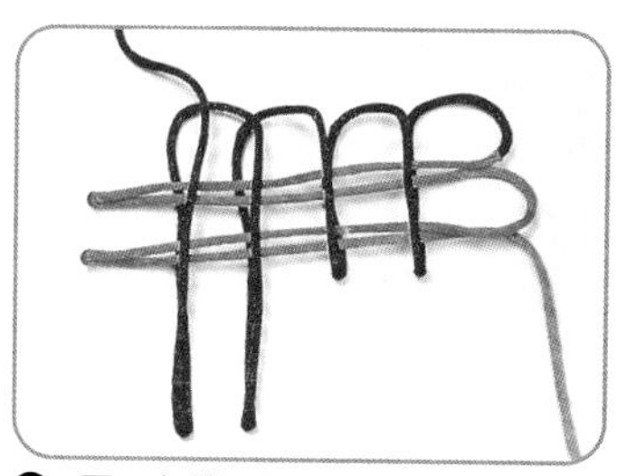

❷ 同一条线（绿）捏套（进4个直套中间）做2排横套，暂停。

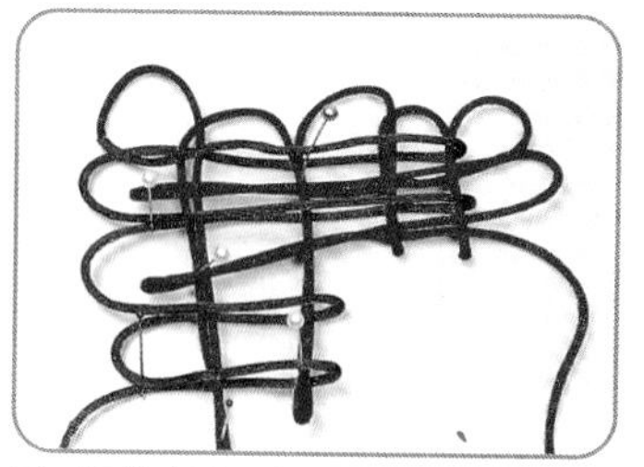

❸ 换做左边，拿左线（蓝）做朝左边全上全下（包4个直套）的两排横套及（包两个直套的）两排短横套。

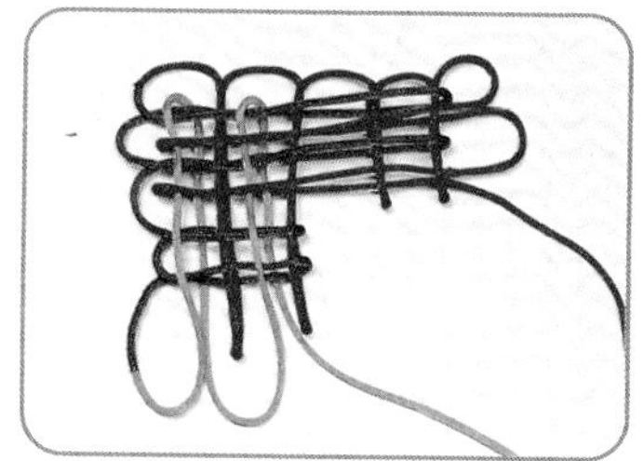

❹ 左线再拉成由下而上做两个直套。方法口诀：遇右线进，遇左线包。

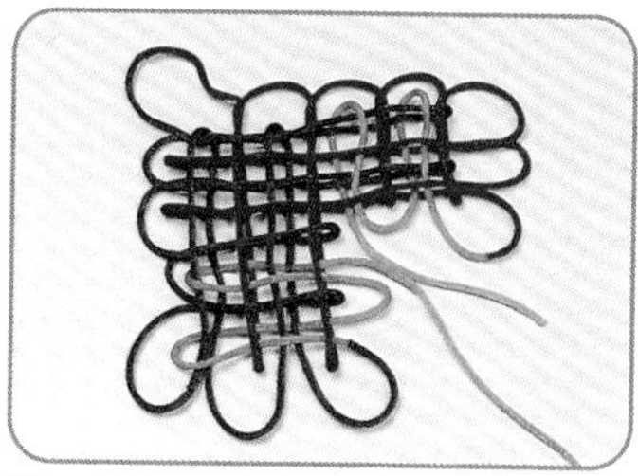

❺ 如图，右线（黄）由下往下，左线（黄）由左而右，同❸口诀，各做两个横、直的短套。

❻ 将线调整即完成。

正磬结

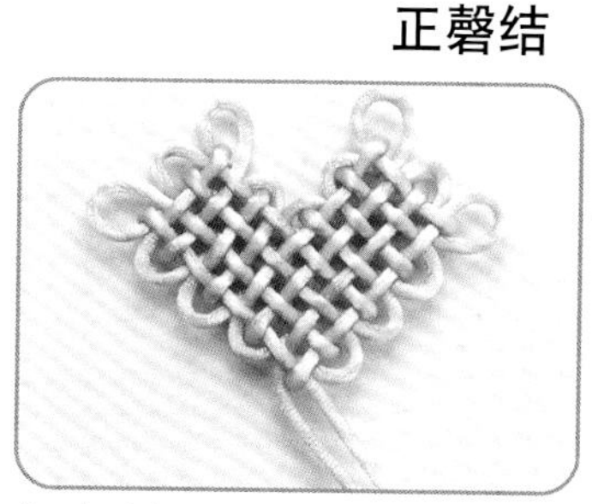

倒磬结

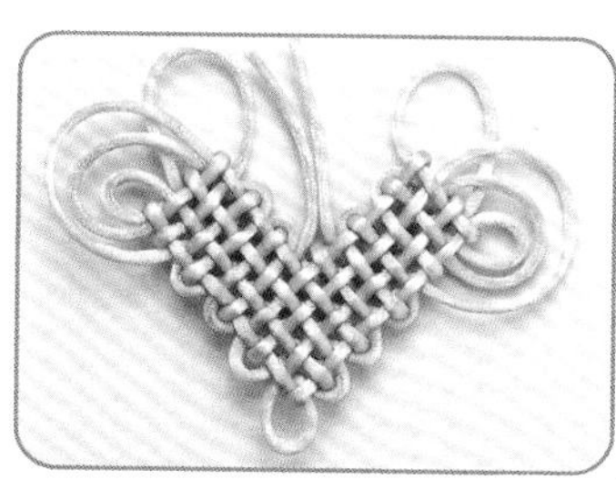

复翼磬结

进套—穿过两线之间
包套—上下包住两线
捏套—右线捏套

海誓山盟 得以圆满

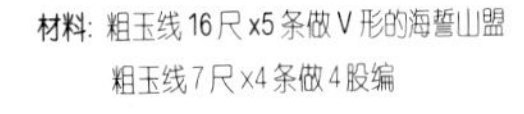
材料：粗玉线16尺x5条做V形的海誓山盟
粗玉线7尺x4条做4股编

为展现步骤清晰，使用较粗及色线示范且部份线会截短。

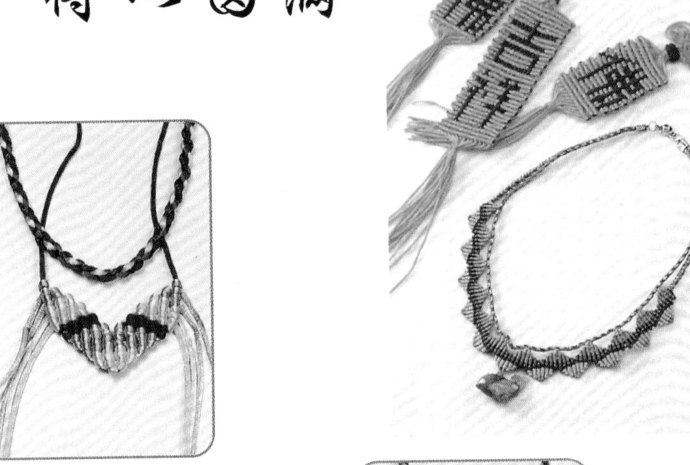

「佛」字编法

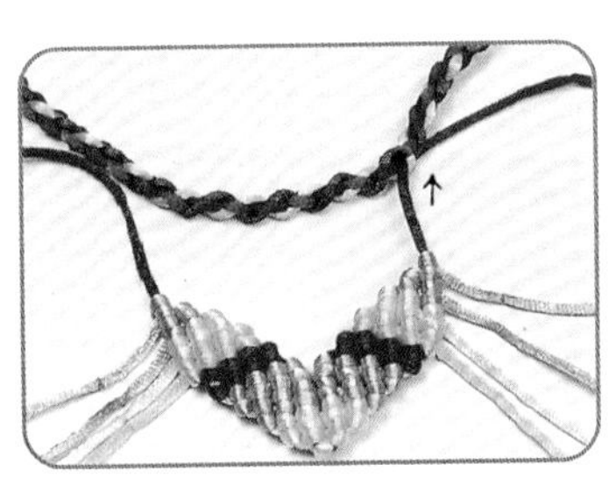

❶ 拉出V形结体最上方一条穿入圆满带的结体中。

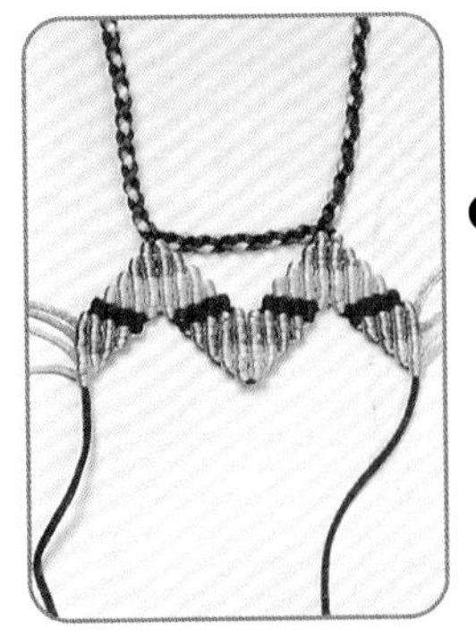

❸ 重复前述步骤，左右各做至所需长度。V形结体的山形处要记得勾连圆满带。

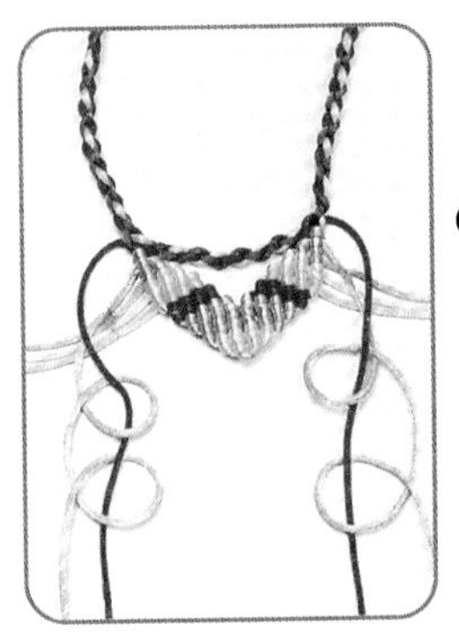

❷ 继续编斜卷结，右顺时针、右逆时针。

❹ 海誓山盟编完后，可采用金石盟约（六股）或圆满的四股编，相结合后装上项链扣即成。

一帆风顺 三帆快得利

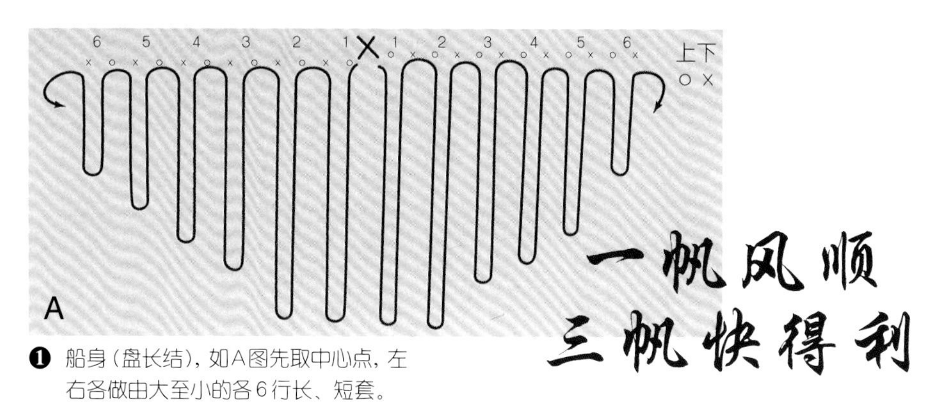

❶ 船身（盘长结），如A图先取中心点，左右各做由大至小的各6行长、短套。

材料：粗金葱 小帆／4尺x2
大帆／8尺x1
3号线 32尺x1条(船身)

B

❷ B图，左线做全上全下横套，包所有的直套。右线捏套进所有的直套，之后换左边再做右边的直套(由下而上如图进与包)，余线塞入船身中，增加船的厚度。

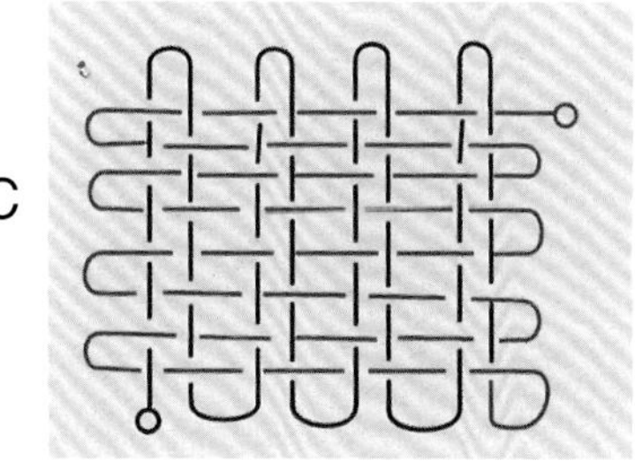

❸ 小帆（单面盘长），先做4直套（每行约6公分），再做横套，参考C图的压、挑，做两片。

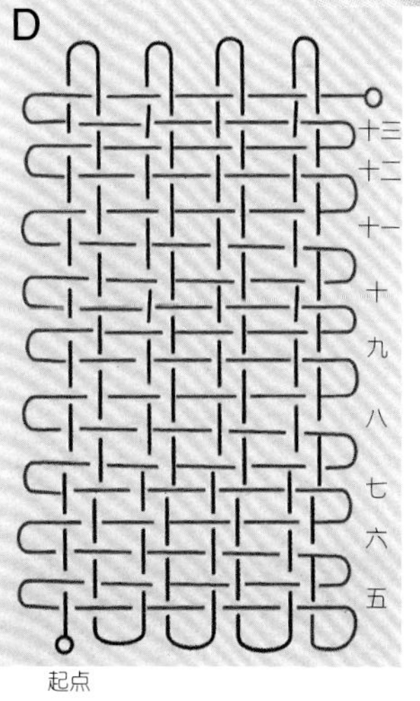

❹ 大帆（单面盘长），同小帆做法，唯高度为10公分，横套较多(见D图)。完成后浆硬用胶组合，装上饰物及桅杆线。

压—跨过线上
挑—穿过线下
进套—穿过两线之间
包套—上下包住两线
捏套—右线捏套

海豚特技

材料：身体/3尺x 31
2尺半 x8
2尺半 x4
背鳍/2尺 x5
划水/2尺 x9

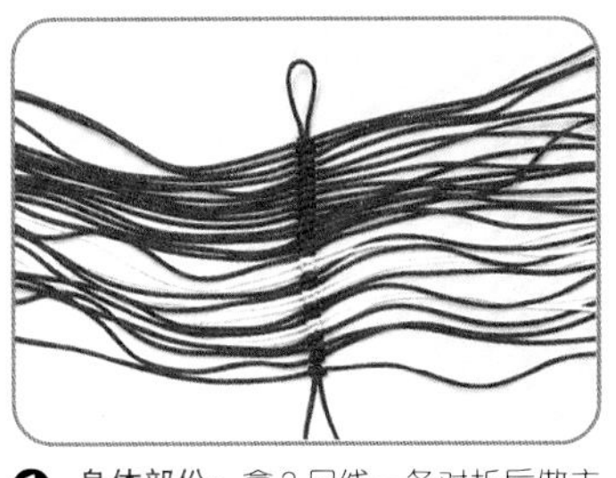

❶ **身体部份**：拿3尺线一条对折后做主轴，再拿29条取中央在轴上打死结挂上。留下一条为备用挂结。见图A。

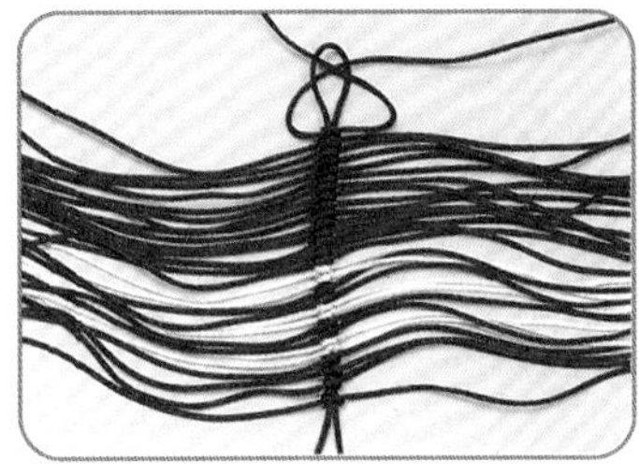

❷ 最上方的第一条线尾左右各朝上向对方穿过主轴孔后，拉下来做两边的轴。让次一条线起依序在轴上打卷结。见图B

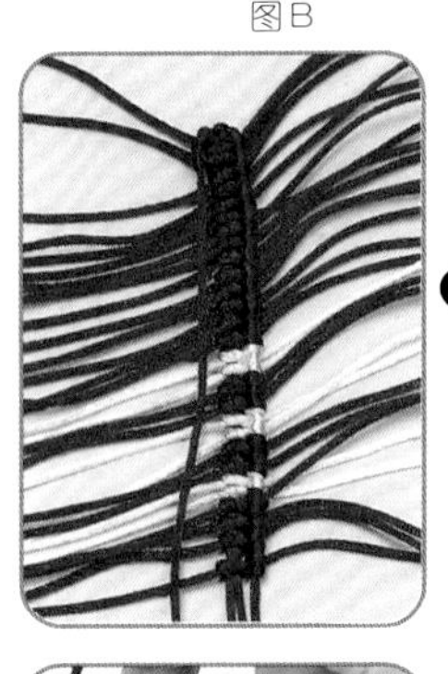

❸ 左边以逆时针方向编，右边顺时针编。将主轴往下拉紧。

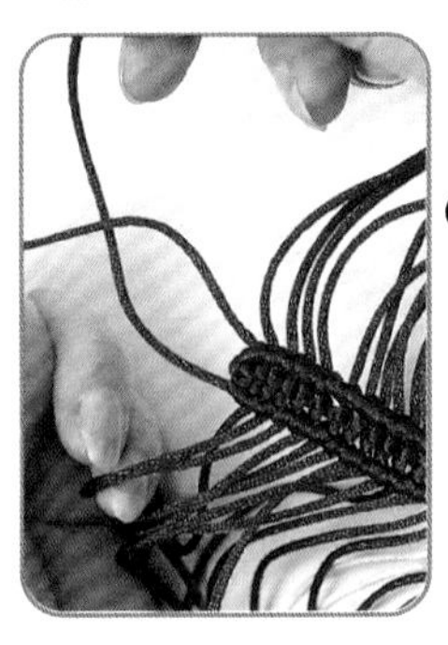

❹ 左右各批一排后，再拉最上一条（原第二条）交叉拉下当两边的轴。次一条起依序做卷结。

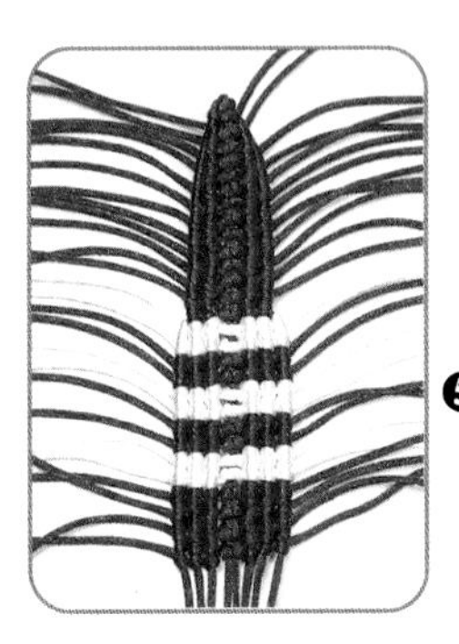

❺ 做完左右各两排，上面先暂停。拿第15条线拉下做轴，第16条（白）起依序做卷结，形成第三排。

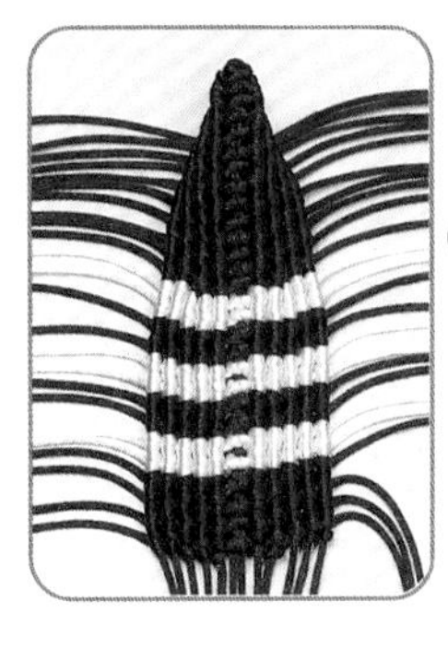

❻ 再依序以上方第三、四条拉下为轴，同前方法继续打卷结，完成第四、五排。

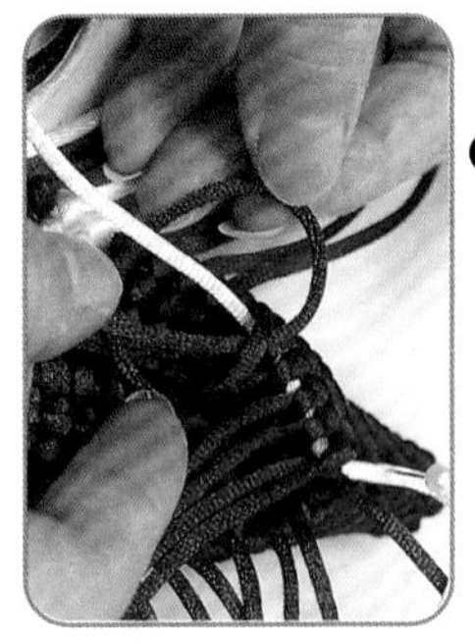

❼ **做头部**：加上保留的挂线（白，求清晰）插上珠珠固定，先右后左打单结（即死结，为做出人字面要左顺、右逆时针）。见D图。

❽ 左右打完死结后，仍以此条挂线拉下为轴，左右再打卷结，再做一排。

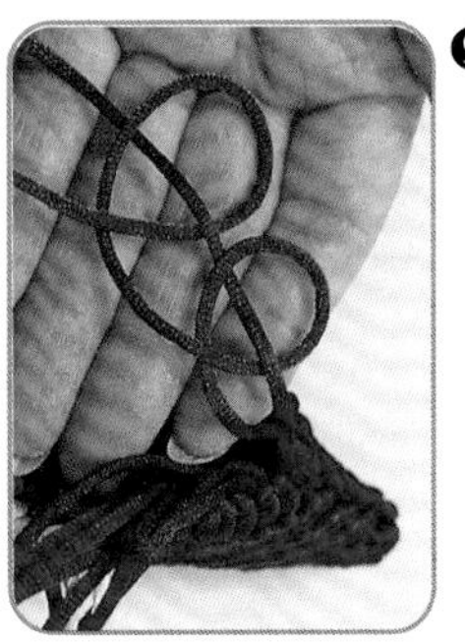

❾ 将右边第一条（死结）线朝左做轴，拿左边第一条起依序做卷结（注意：打顺时针）做左边一排；再拿左边第一条朝右拉做轴心，右边第一条起依序打卷结做完右边一排：这样做方能突显海豚的嘴部。

❿ 重复上述步骤，参考D图，做完左右共12排人字面，头部完成。

⓫ **身体后部**：拿2尺半的8条线，在主轴上（两条）打死结挂上，再以中央的左右两条为轴，由内往外做卷结，每一层各减一条不做，做完时再加挂2尺的4条，见图E。

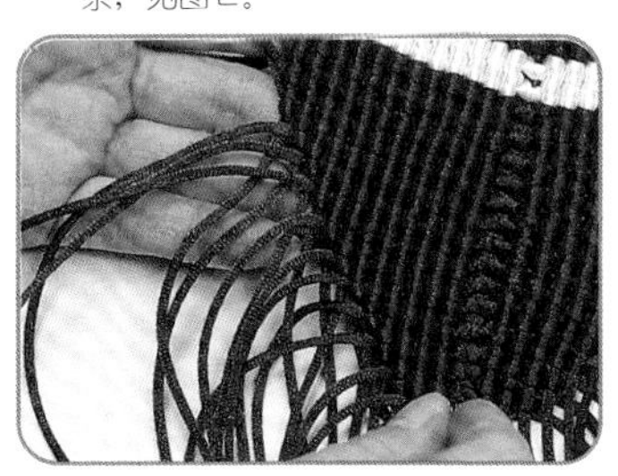

⓬ 接着做完2尺4条加挂线，完成身体后半部。

⓭ **尾巴**：左右各留最内侧的8条（共16条）编尾巴，见图F，用平结编成。

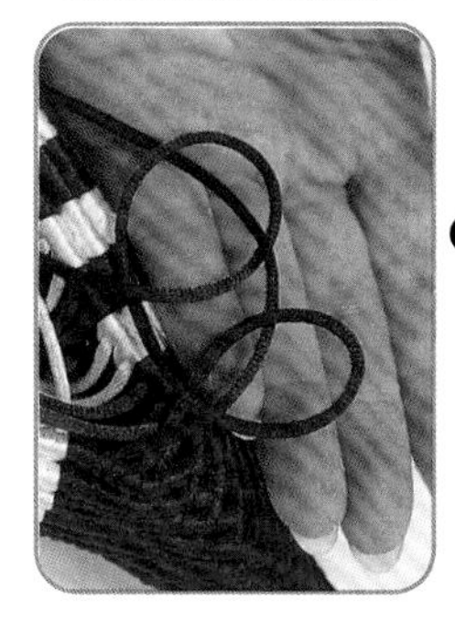

⓮ 再做背部合体，第一条线不做，塞入体内，用第2条起对打卷结并做至完成。

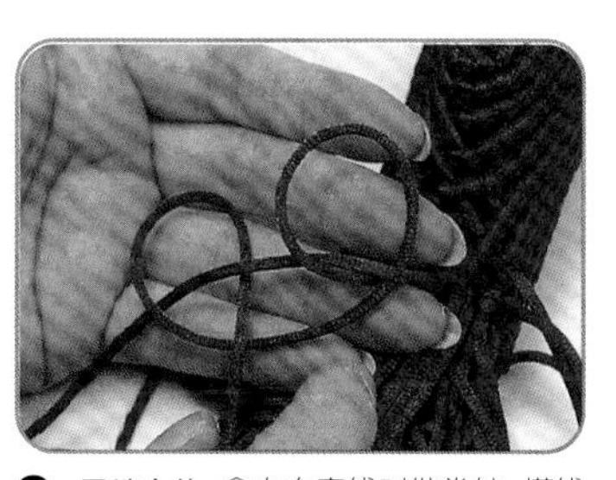

⓯ **尾端合体**：拿左右直线对做卷结，横线部分则不做，塞入体内，并做至完成。

⓰ **双划水**：取2尺线9条，先用针穿过腹部排列。

海豚特技

⑰ 接着反面做卷结，右边顺时针，左边逆时针，左右边各做6排。

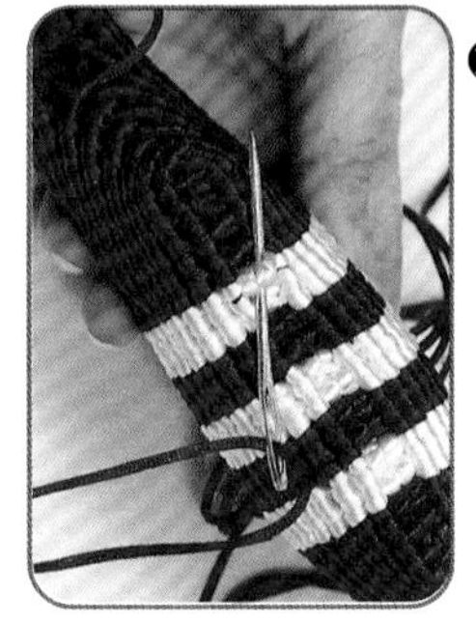

⑱ 背鳍：取2尺线5条，先用针穿入背上，再对折打死结固定，接着做卷结，顺时针方向做8排。
※不能塞入腹内的余线，剪去烧粘。

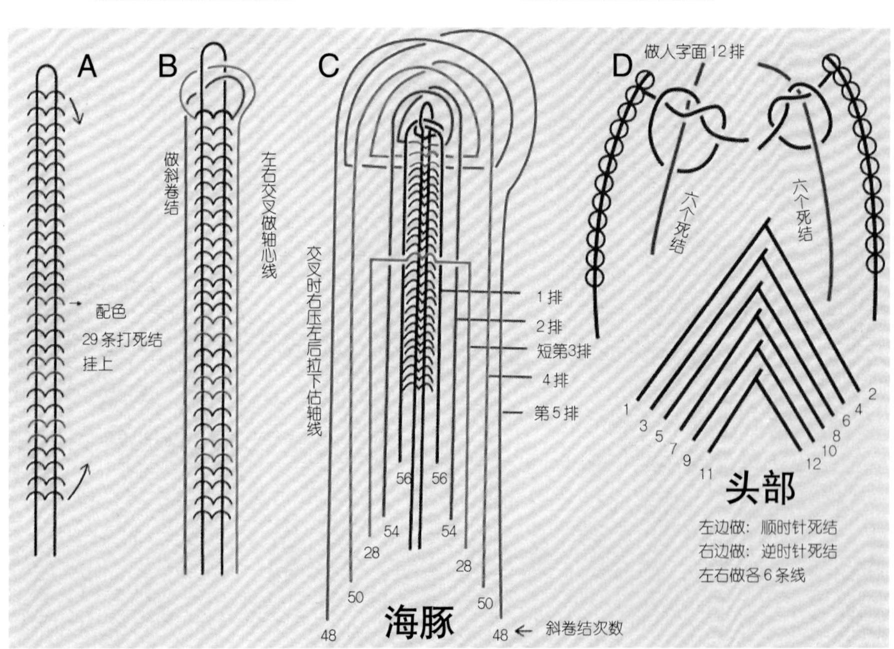

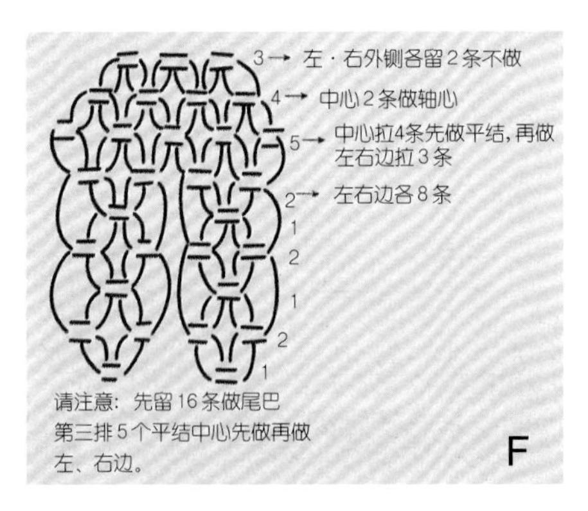

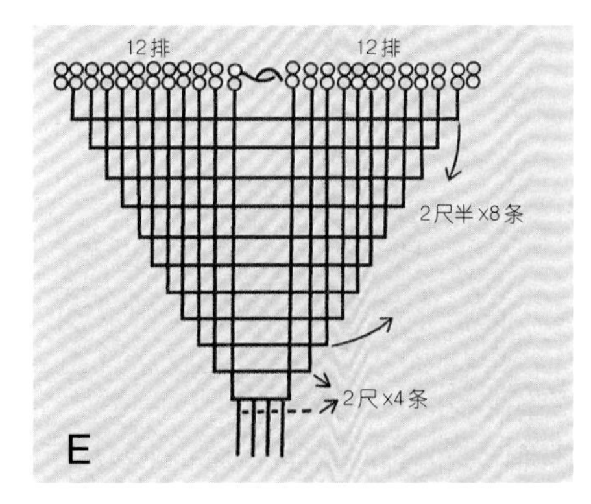

如何计算长度

2号线、3号线、4号线、5号线长度的换算

图例：2圈盘长结

	2号线		3号线		4号线		5号线
	98cm		73cm		56cm		28cm
比例:	3.5	:	2.6	:	2	:	1

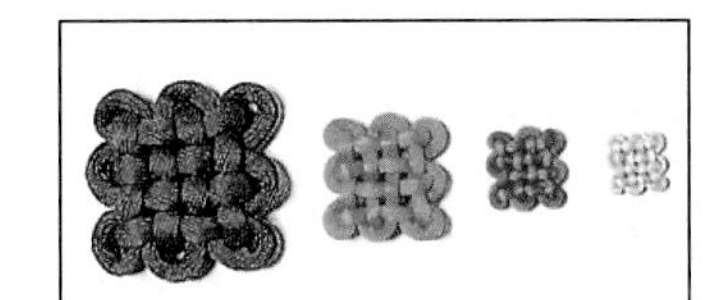

图例：酢酱草

	2号线		3号线		4号线		5号线
	36cm		25cm		18cm		10cm
比例:	3.6	:	2.5	:	1.8	:	1

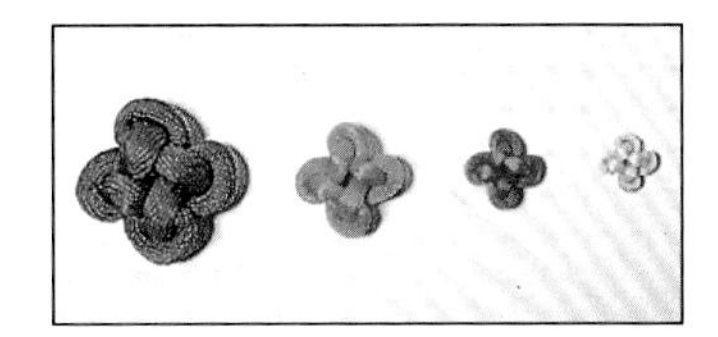

图例：平结

	2号线		3号线		4号线		5号线
	14cm		10cm		7cm		5cm
比例:	2.8	:	2	:	1.4	:	1

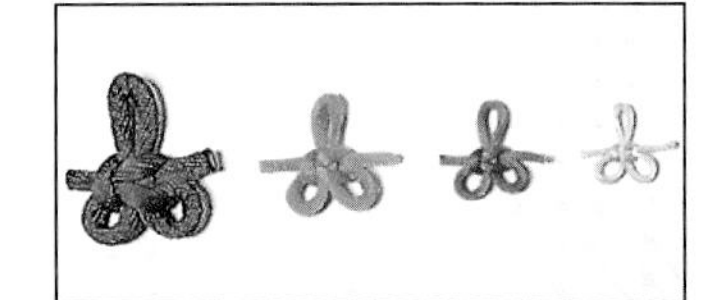

图例：吉祥结（鞭炮结）

	2号线		3号线		4号线		5号线
	13cm		8cm		6cm		4.5cm
比例:	2.9	:	1.8	:	1.3	:	1

由换算比例可算出不同号数所编结体的数量，以平结为例：双线双平结编成长30cm(1尺)，4号线需编39个平结。

图例：

54个双线双平结（5号线）

备注：54个 /1.4=38.5个（约为39个）（4号线）

线的种类、实际尺寸特征说明

线的实际尺寸	名称	代号	特征、颜色
	1号 跑马金葱线	AG	10m/m 线径，教学示范、大型结体，颜色一色，红色。
	2号 跑马线	B	6m/m 大型结体用如双喜结，颜色一色，红色。
	4号 跑马线	C	3m/m 中型结体用，初学者可用此线，须注意扭线，颜色有7色4、8、10、15、16、17、19号。
	5号 跑马线	C-2	2.5m/m 中、小型结体用，注意扭线，适合玉器打结。颜色共9色。7、8、10、14、15、16、17、18、19。
	6号 跑马线	D	1.5m/m 小型结体用，颜色同上共9色。7、8、10、14、15、16、17、18、19。
	7号 跑马线	E	1m/m 特小结体用，较不顺手，可做穿玉用、绑茶壶结。颜色有7、8、10、14、15、16、17、18、19。共9色。
	5号 金葱线	K-2	2.7m/m 可单独编结或配衬别种线材。颜色只有金色。
	6号 金葱线	H	1.5m/m 可单独编结或配衬别种线材。颜色有金、银二色。
	7号 金葱线	H-2	1m/m 绕穗子用，如束腰型穗子。颜色有金、银二色。
	单股 金葱线	I	0.5m/m，绕穗子用。金色一色。
	2号 斜纹线	L	6m/m 大型结体用，如双喜结、春字结，用线长度与粗跑马线相同，颜色有金黄、红、蓝三色。
	3号 斜纹线	L-2	4m/m，大型吊饰适用。颜色有金黄、红、蓝三色。
	4号 斜纹线	O	3m/m 初学者请用此线最易帝学习。颜色除1、2、3、13、20号其余均有。
	5号 斜纹线	S	2.5m/m 小结体用，与中细跑马线，用线长度相同，颜色除1、2、3、13、20号其余均有.
	4号 斜纹金葱线	OG	3m/m 斜纹线加金葱。颜色有4、8、10、17、18五色。
	5号 斜纹金葱线	SG	2.5m/m 斜纹线加金葱。颜色有4、8、10、17、18五色。
	穗子线	M	做穗子线，线缕可抽开当缝线用。颜色除金、银二色其余均有。